700€

español leng _____ ra
CURSO PRÁCTICO
ejercicios

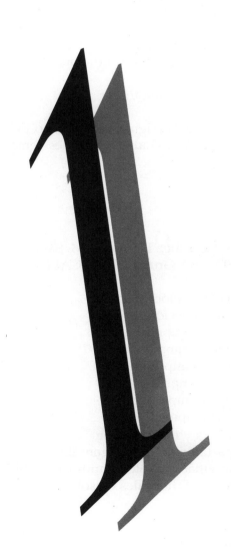

nivel

A. González Hermoso
M. Sánchez Alfaro

edelsa

GRUPO DIDASCALIA, S.A.
Plaza Ciudad de Salta, 3 - 28043 MADRID - (ESPAÑA)
TEL.: (34) 914.165.511 - FAX: (34) 914.165.411

Ejercicios gramaticales:

© Unidad 18, página 44: Texto de publicidad de Paradores de Turismo de España. Ministerio de Turismo.

© Unidad 33, página 72: Extracto de *Cómo ser una mujer y no morir en el intento*, Carmen Rico-Godoy. Ediciones Temas de hoy, Colección El Papagayo.

Ejercicios comunicativos:

© Unidad 1, página 82: Extracto de *Cómo ser una mujer y no morir en el intento*, Carmen Rico-Godoy. Ediciones Temas de hoy, Colección El Papagayo.

© A. González Hermoso, M. Sánchez Alfaro.
© EDELSA Grupo DIDASCALIA, S. A.

Primera edición: 1994
Segunda edición: 1995
Primera reimpresión: 1996
Segunda reimpresión: 1997
Tercera reimpresión: 1998
Cuarta reimpresión: 1999
Quinta reimpresión: 1999
Sexta reimpresión: 2001
Cubierta y maquetación:
Departamento de Imagen EDELSA.
Diagramación, fotocomposición y filmación:
Servicios Editoriales Crisol S. A.

I.S.B.N.: 84-7711-073-5
Depósito legal: M-915-2001
Imprime: Rógar.
Encuaderna: Perellón.
Impreso en España
Printed in Spain

PRESENTACIÓN

- Estos **270 ejercicios gramaticales**
  y
  100 ejercicios comunicativos
  forman parte del **CURSO PRÁCTICO**, integrado por:

    - Una **GRAMÁTICA DE ESPAÑOL LENGUA EXTRANJERA**
      con dos entradas:
        - **normas**
          y
        - **recursos para la comunicación.**

    - Tres **CUADERNOS DE EJERCICIOS** en tres niveles:
        - 1. principiante,
        - 2. intermedio,
        - 3. avanzado.

  Cada capítulo tiene 10 ejercicios y remite –como lo indica su nombre y número– a capítulos correspondientes de la **GRAMÁTICA** (véase **ÍNDICE**).
    - Un cuadernillo, **CLAVES**, que contiene las soluciones a los tres niveles de ejercicios.

- **Como ejercicios de refuerzo y profundización son compatibles con otros métodos o gramáticas y también pueden utilizarse como elementos de práctica independiente.**

- Uno de sus objetivos es potenciar el autoaprendizaje.

Los autores

NIVEL 1 / ÍNDICE

Ejercicios Gramaticales

Ejercicios Comunicativos

Ejercicios gramaticales

*E*l alfabeto.
Signos ortográficos. Reglas de acentuación

1. **¿Cómo se escribe? Deletrea los siguientes nombres:**

a. INMACULADA ....   f. RAMON ....

b. BEATRIZ ....   g. MIGUEL ....

c. CONCHA ....   h. INES ....

d. FELIPE ....   i. SALVADOR ....

e. ELISA ....   j. ANDRES ....

2. **Escribe la tilde en las palabras del ejercicio 1 que la necesiten y clasifícalas según su acentuación:**

a. Palabras terminadas en vocal, en N y en S, que llevan el acento tónico en la penúltima sílaba:

....

b. Palabras terminadas en consonante, excepto N y S, que llevan el acento tónico en la última sílaba:

....

c. Las demás palabras llevan tilde en la sílaba donde se encuentra el acento tónico:

....

3. **Escribe los siguientes nombres:**

a. elle a uve e   ....

b. che a cu u e te a   ....

c. zeta a eme be o eme be a   ....

d. e ese pe a eñe a   ....

e. i griega a te e   ....

4. **Separa las sílabas de las siguientes palabras:**

a. Carro.   a. ....

b. Reina.   b. ....

c. Revista.   c. ....

d. Callar.   d. ....

e. Seguir.   e. ....

5. **Con ayuda del diccionario, escribe cinco palabras que contengan una:**

a. G: ....

b. RR: ....

c. CH: ....

d. J: ....

e. LL: ....

6. ¿Cuál de estas palabras puede sustituir a las señaladas?:

aun	él	aún	sólo	tú

a. **Todavía** no han venido.   a. ....
b. Tiene **solamente** un hijo.   b. ....
c. ¡A ver, **Irene**, ven aquí!   c. ....
d. **Manolo** está enfermo.   d. ....
e. Todos se fueron, **incluso** Paco. e. ....

7. Pon los signos de puntuación que faltan en las siguientes frases:

a. Cuándo has llegado
b. Qué feo
c. Necesito huevos harina y azúcar
d. Aquí pone no molestar
e. Por qué dices eso

8. Elige la forma correcta:

a. ☐ **Fue** director de la empresa durante tres años.
   ☐ **Fúe**
   ☐ **Fué**

b. Quiero ☐ **mas** pan.
          ☐ **más**

c. ¿Tomas ☐ **te**?
          ☐ **té**

d. Toma ☐ **tu** maleta.
         ☐ **tú**

e. ☐ **Mi** padre no está.
   ☐ **Mí**

9. ¿Cuál es la acentuación correcta? (puedes utilizar el diccionario):

a. Café, cafe.
b. Autobus, autobús.
c. Tren, trén.
d. Exito, éxito.
e. Camion, camión.

10. Subraya los diptongos que encuentres:

a. Fotografía.
b. Ciudad.
c. Maestro.
d. Reina.
e. Viaje.

4 El artículo

Harás estos ejercicios más fácilmente si antes te lees GRAMÁTICA, Normas, Cap. 5, El nombre, pág. 30.

1. Pon delante de cada palabra el artículo correspondiente: EL / LA:

a. ...... mono.
b. ...... manzana.
c. ...... mano.
d. ...... primavera.
e. ...... flor.

f. ...... día.
g. ...... nariz.
h. ...... edificio.
i. ...... otoño.
j. ...... silla.

2. Completa las frases con Al o Del:

a. Va ...... colegio.
b. Hablamos ...... tiempo.
c. Jugamos ...... dominó.
d. La cartera ...... alumno.
e. El guía ...... museo.

3. Completa las frases con el artículo determinado que sea necesario:

a. Vienen ...... García a cenar.
b. Voy a ...... playa ...... domingos.
c. Llego a casa a ...... nueve de ...... noche.
d. Espera a ...... señora Martínez.
e. Estoy en ..... pueblo de mi padre.

4. ¿El / La, Los / Las, Al / Del?:

a. ...... orquesta ...... teatro es buena.
b. ...... jueves siempre me voy ...... campo.
c. ...... sábado 22 veo ...... señor Pérez.
d. ...... problemas de ...... grandes ciudades.
e. Comen en ...... terraza ...... restaurante.

5. Completa las frases poniendo un artículo determinado o indeterminado, según convenga:

a. Tiene ...... coche muy bonito.
b. ...... nieve es blanca.
c. Es ...... mujer muy inteligente.
d. Son ...... padres de Miguel.
e. Son ...... cuatro.

6. Pon artículo en los nombres de países que lo necesiten:

a. ...... Italia.

b. ...... India.

c. ...... Alemania.

d. ...... Portugal.

e. ...... Japón.

f. ...... Ecuador.

g. ...... Inglaterra.

h. ...... España del Norte.

i. .,.... Suiza.

j. ...... Salvador.

7. Señala la respuesta correcta y rellena los huecos:

a. Es ☐ **un** hombre muy raro.
   ☐ **uno**

b. Tengo ☐ **un** cita a ☐ **las** cinco.
   ☐ **una**   ☐ **los**

c. ☐ **Los** López tienen ☐ **la** hija preciosa.
   ☐ **El**   ☐ **una**

d. Esta es ☐ **la** señora de ☐ **el** lado.
   ☐ _   ☐ **al**

e. Vamos ☐ **del** teatro todos ☐ _ miércoles.
   ☐ **al**   ☐ **los**

8. Pon los artículos que faltan en este texto:

...... verano pasado, alquilamos ...... piso y nos fuimos a ...... playa. ...... piso estaba muy cerca de ...... playa y ...... centro ...... pueblo. Yo me pasé todas ...... vacaciones sin hacer nada, tumbada ...... sol y descubriendo ...... magníficos paisajes de ...... región. ¡Fueron ...... auténticas y estupendas vacaciones!

9. Elige entre El de / Los de, La de / Las de y completa las frases:

a. Este libro es .... Pedro.

b. La más grande es .... Ana.

c. .... Italia son más románticas.

d. ¿Estos zapatos son .... piel?

e. Estas naranjas no son .... Valencia.

10. Pon el artículo indeterminado sólo en las frases que lo necesiten:

a. Ha preguntado por ti ...... señor.

b. Necesito ...... copia del documento.

c. Póngame ...... media docena de huevos.

d. Cómprate ...... vestido nuevo para la fiesta.

e. Quiero ...... otro bocadillo.

5 El nombre

1. Pon en femenino:

a. El niño ....
b. El abuelo ....
c. El gato ....
d. El chico ....
e. El perro ....

f. El maestro ....
g. El novio ....
h. El hermano ....
i. El amigo ....
j. El tío ....

2. Pon en masculino:

a. Ha venido **nuestra prima.**
b. Ha llegado **la profesora.**
c. ¿Es Vd. su **sobrina**?
d. No tengo **secretaria.**
e. Quiero hablar con **la directora**.

a ....
b. ....
c. ....
d. ....
e. ....

3. Pon las siguientes frases en plural:

a. La madrina está en el bautizo.
b. El niño espera a su padre.
c. El barco va al puerto.
d. Es la agenda de Pilar.
e. Llega el nuevo ministro.

a. ....
b. ....
c. ....
d. ....
e. ....

4. Pon las siguientes frases en singular:

a. ¿Tienen zapatos las chicas?
b. Las niñas vienen los martes.
c. Los peces están en los mares.
d. Los poetas escriben poesías.
e. Los sillones son para los invitados.

a. ....
b. ....
c. ....
d. ....
e. ....

5. Clasifica los nombres señalados en la columna correspondiente:

	Nombres masculinos	Nombres femeninos
a. Son **problemas** de **mujeres**.	....	....
b. Voy de **viaje** en **moto**.	....	....
c. Vamos en **coche** a la **playa**.	....	....
d. Luis es **periodista** y **deportista**.	....	....
e. No tengo **paraguas** ni **impermeable**.	....	....

6. **Subraya las faltas y corrígelas:**

a. El alumnos tiene buenas notas.
b. Es las una.
c. Las campesina van al mercado.
d. El jugadora ha perdido.
e. La desayuno está servido.

a. ....
b. ....
c. ....
d. ....
e. ....

7. **Sustituye los dos nombres señalados por un único nombre plural:**

a. **El padre y la madre** de Juan son muy simpáticos.
a. ....

b. Vienen a cenar **el amigo y la amiga** de mi padre.
b. ....

c. **El hijo y la hija** del profesor estudian en otra escuela.
c. ....

d. **El tío y la tía** de Pedro están de viaje.
d. ....

e. **El hermano y la hermana** de Angel son muy guapos.
e. ....

8. **Asocia cada nombre masculino con su correspondiente femenino:**

Masculinos	Femeninos
a. Hombre.	1. *Mamá.*
b. Padre.	2. *Mujer.*
c. Esposo.	3. *Yegua.*
d. Papá.	4. *Madre.*
e. Caballo.	5. *Esposa.*

9. **Define el género y el número de cada nombre poniendo una cruz donde corresponda:**

	Masculino	Femenino	Singular	Plural
a. Perros.	☐	☐	☐	☐
b. Día.	☐	☐	☐	☐
c. Entradas.	☑	☐	☐	☐
d. Nariz.	☐	☐	☐	☐
e. Gas.	☐	☐	☐	☐

10. **Enlaza cada nombre con su artículo correspondiente:**

a. Las	1. *flor.*
b. Los	2. *color.*
c. La	3. *problemas.*
d. Los	4. *fotos.*
e. El	5. *reyes.*

6 El adjetivo

1. Pon en femenino:

a. Sus hijos están bien educados.   a. ....
b. Es un chico feo.   b. ....
c. Su marido es muy amable.   c. ....
d. Los alumnos son muy inteligentes.   d. ....
e. Es un hombre bueno.   e. ....

2. Pon en plural:

a. El gato es marrón.   a. ....
b. La bufanda es verde.   b. ....
c. ¿Está el semáforo rojo?   c. ....
d. Lleva un abrigo gris.   d. ....
e. Necesito una chaqueta blanca.   e. ....

3. Pon el siguiente texto en masculino:

Inés y su hermana son estudiantes, muy buenas alumnas y aplicadas en el colegio. Son las mejores en idiomas y matemáticas. Su profesora está contentísima con ellas.

Paco y su ....
....
....
....

4. Elige entre los adjetivos dados para completar las frases:

Inglesa Americanos Españoles Francés Italianas

a. Isabel y Pedro son ....
b. Susan es ....
c. Carla y Maura son ....
d. David es ....
e. Los que nacen en América son ....

5. Contesta negativamente a las frases, utilizando el adjetivo contrario al señalado:

a. ¿Es **alto** tu novio?   a. ....
b. ¿Es una ciudad **bonit**a?   b. ....
c. ¿Está **sucio** el suelo?   c. ....
d. ¿Es **estrecha** la calle?   d. ....
e. ¿Es **antiguo** el teatro?   e. ....

6. Transforma según el modelo:

> Ej.: Los diamantes son **muy caros**. ➡ Los diamantes son **carísimos**.

a. Ese chico está **muy guapo**.   a. ....
b. Es una casa **muy grande**.   b. ....
c. Juan es **muy malo**.   c. ....
d. Tú eres **muy lista**.   d. ....
e. Mi padre es **muy alto**.   e. ....

7. Haz comparaciones utilizando la forma adecuada del adjetivo dado entre paréntesis (Más ... que / Menos ... que / Tan ... como):

> Ej.: Adela mide 1, 50. Pedro mide 1, 70 (alto). ➡ Pedro es **más alto que** Adela.

a. El disco es de 1980. La cinta es de 1993 (moderna).
La cinta es ....

b. Ahora peso 44 kilos. Antes pesaba 44 kilos (delgado).
Ahora estoy ....

c. El diccionario vale 20.000 pts. La enciclopedia vale 100.000 pts. (barato).
El diccionario es ....

d. La película dura 3 horas. La reunión dura 1 hora (larga).
La reunión es ....

e. El ejercicio 4 es sencillo. El ejercicio 5 no sé hacerlo (difícil).
El ejercicio 5 es ....

8. Sitúa los adjetivos del cuadro bajo el nombre con el que se relacionan:

Moderna	Ancho	Largos	Corta	Marrones	Cómodas
Negro	Blancas	Caros	Clásico	Estrecha	Baratas

Falda	Cinturón	Pantalones	Zapatillas
....	....	....	....
....	....	....	....
....	....	....	....

9. **Completa según el modelo, eligiendo el adjetivo contrario al dado entre los siguientes:**

Viejos   Fría   Delgados   Corta   Guapo

Ej.: La falda no es **estrecha**, es **ancha**.

a. La sopa no está **caliente**, está ....
b. La película no es **larga**, es ....
c. Los libros no son **nuevos**, son ....
d. El niño no es **feo**, es ....
e. Los deportistas no están **gordos**, están ....

10. **Enlaza los elementos de las dos columnas para formar frases:**

a. Los señores están   1. *antigua.*
b. Las ventanas son   2. *roto.*
c. El jersey está   3. *carísimos.*
d. La revista es   4. *enfadados.*
e. Son unos muebles   5. *amarillas.*

7 Los demostrativos

1. Pon en plural:

a. Este chico es el primero.   a. ....

b. Aquel señor es el médico.   b. ....

c. Ese libro es muy interesante. c. ....

d. Aquella fábrica ya no funciona. d. ....

e. Esa falda es azul.   e. ....

2. Elige entre Aquí, Ahí, Allí, según el demostrativo utilizado, para completar las frases:

a. ¿Guardo **este** dinero .... ?

b. ¿Te doy **esa** manzana de .... ?

c. **Aquella** calle está ....

d. Nos vemos en **ese** bar que hay ....

e. No sé dónde colocar **estos** cubiertos de ....

3. Enlaza los elementos de las dos columnas y completa las frases:

a. ¿Qué es   1. *estos discos?*

b. ¿Quién es   2. *aquel banco.*

c. Te espero en   3. *esto?*

d. ¿Dónde viven   4. *ese hombre?*

e. ¿Cuánto valen   5. *esas niñas?*

4. Ordena los elementos de las frases:

a. Ahí / vamos / cine / a / de / ese.

a. ....

b. Mi / aquel / de / coche / es / allí.

b. ....

c. Sillas / dejo / estas / aquí.

c. ....

d. ¿Esos / ahí / hombres / de / conoces / a?

d. ....

e. ¿En / casa / aquella / de / vives / allí?

e. ....

5. Transforma según el modelo:

> Ej.: Prefiero **aquella** pulsera. ➠ Prefiero **aquélla**.

a. Cómprame esos pendientes.   a. ....
b. Te presto este vestido.   b. ....
c. No me gusta ese cinturón.   c. ....
d. ¿Qué te parecen aquellos pantalones? d. ....
e. ¿Has visto estas medias?   e. ....

6. Contesta con el adverbio de lugar adecuado:

> Ej.: ¿Dónde vive **aquella** señora? ➠ **Allí**.

a. ¿Dónde venden **estas** postales?   a. ....
b. ¿Dónde está **ese** museo?   b. ....
c. ¿Por dónde se va a **aquel** pueblo? c. Por ....
d. ¿Dónde tienes **esos** caramelos?   d. ....
e. ¿De dónde es **este** cantante?   e. De ....

7. Utiliza el adjetivo demostrativo adecuado para rellenar los huecos:

> Ej.: **Ahí** tienes el dinero. ➠ **Ese** dinero.

a. **Allí** hay una farmacia.   a. .... farmacia.
b. **Aquí** pego una foto.   b. .... foto.
c. **Ahí** está el camarero.   c. .... camarero.
d. **Allí** veo un barco.   d. .... barco.
e. **Aquí** están las compras.   e. .... compras.

8. Contesta negativamente a las preguntas, utilizando un demostrativo diferente al dado:

> Ej.: ¿Te gustan **esos** zapatos? ➠ No, me gustan más **aquéllos**.

a. ¿Te gusta este bar?   a. ....
b. ¿Te vas en ese autobús?   b. ....
c. ¿Vives en ese edificio?   c. ....
d. ¿Es ésa tu vecina?   d. ....
e. ¿Comes en ese restaurante? e. ....

9. **Elige entre Por aquí, Por ahí, Por allí, según el demostrativo empleado, para completar las frases:**

a. **Ese** tren viene ....

b. A **aquella** montaña se sube ....

c. **Este** balón se ha pinchado ....

d. **Estas** latas se abren ....

e. **Aquel** camino pasa ....

10. **Pon los demostrativos del cuadro en el lugar que les corresponda:**

Aquellas   Ese   Esta   Estos   Aquel

a. .... mañana me he levantado muy temprano.

b. .... últimos días ha llovido mucho.

c. .... vacaciones fueron maravillosas.

d. .... día no me reconoció.

e. .... poema que estás leyendo me gusta.

8 Los posesivos

1. **Transforma las frases utilizando el pronombre posesivo correspondiente al adjetivo dado:**

> Ej.: Son **mis** amigos. ➡ Son **los míos**.

a. Es **mi** bolígrafo.   a. ....
b. Son **tus** cosas.   b. ....
c. Es **su** casa.   c. ....
d. Son **sus** problemas.   d. ....
e. Es **tu** profesor.   e. ....

2. **Contesta negativamente a las siguientes preguntas:**

a. ¿Es vuestro este coche?   a. ....
b. ¿Es tuyo este cuaderno?   b. ....
c. ¿Son suyas estas niñas?   c. ....
d. ¿Es nuestra esta carta?   d. ....
e. ¿Es suyo este perro?   e. ....

3. **Construye frases a partir de los elementos dados:**

> Ej.: Ellas / un disco ➡ El disco es **suyo**.

a. Yo / unas gafas.   a. ....
b. Él / un abrigo.   b. ....
c. Nosotros / un gato.   c. ....
d. Vosotras / unas postales.   d. ....
e. Tú / un diccionario.   e. ....

4. **Transforma las frases utilizando el adjetivo posesivo correspondiente al pronombre dado:**

> Ej.: Estos pantalones son **los míos**. ➡ Son **mis** pantalones.

a. Aquella tienda es la mía.   a. ....
b. Esos sitios son los nuestros.   b. ....
c. Este vaso es el suyo.   c. ....
d. Estas monedas son las tuyas.   d. ....
e. Aquel jardín es el vuestro.   e. ....

5. **Completa las frases utilizando el adjetivo posesivo corres-pondiente:**

a. Miguel tiene un hermano. Se llama Pedro.
   Pedro es .... hermano.

b. Tenemos un perro que se llama César.
   César es .... perro.

c. Tienen hermanas gemelas.
   Las gemelas son .... hermanas.

d. Yo tengo una tía que se llama Luisa.
   Luisa es .... tía.

e. Tienes un piso muy bonito.
   Es .... piso.

6. **Señala la respuesta correcta:**

a. ☐ **Tuyos** amigos no están.
   ☐ **Tu**
   ☐ **Tus**

b. Pedro, ¿es este libro ☐ **el vuestro**?
   ☐ **el tuyo**
   ☐ **la mía**

c. No tenemos clase: ☐ **su** profesor está enfermo.
   ☐ **el suyo**
   ☐ **nuestro**

d. ☐ **Mi** casa es muy grande.
   ☐ **Mía**
   ☐ **Mis**

e. No me gustan ☐ **las vuestras** ideas.
   ☐ **vuestras**
   ☐ **vuestra**

7. **Completa con el adjetivo posesivo adecuado:**

> Ej.: Sue es inglesa. **Su** país es Inglaterra.

a. Jean es francés. .... país es Francia.
b. Nosotros somos americanos. .... país es América.
c. Ellas son italianas. .... país es Italia.
d. Soy alemán. .... país es Alemania.
e. Eres holandés. .... país es Holanda.

8. **Relaciona los elementos de las dos columnas:**

a. Su pueblo.   1. *El mío.*

b. Nuestro aniversario.   2. *Los tuyos.*

c. Mi padre.   3. *El suyo.*

d. Tus problemas.   4. *La suya.*

e. Su educación.   5. *El nuestro.*

9. **Completa con el adjetivo posesivo correspondiente a la persona indicada entre paréntesis:**

> Ej.: (Nosotros) Es **nuestro** hermano.

a. (Tú) Es .... clase.

b. (Ellos) Son .... profesores.

c. (Ella) Es .... alumna.

d. (Yo) Son .... postales.

e. (Usted) Son .... regalos.

10. **Relaciona las frases de las dos columnas:**

a. Son tus camisas.   1. *Son míos.*

b. Son sus llaves.   2. *Son tuyas.*

c. Son tus calcetines.   3. *Son suyos.*

d. Son mis pantalones.   4. *Son tuyos.*

e. Son sus lápices.   5. *Son suyas.*

9 Los pronombres personales

1. Tutea en lugar de tratar de Vd:

a. ¿Qué quieren Vds.?
b. ¿Qué hace Vd. aquí?
c. ¿Cuándo se va Vd.?
d. ¿Vds. piensan quedarse?
e. ¿Lo ha hecho Vd.?

a. ....
b. ....
c. ....
d. ....
e. ....

2. Di cuál es el pronombre personal sujeto de las siguientes frases:

a. Vamos a la discoteca.
b. Hoy está muy guapa.
c. Tengo que estudiar.
d. ¿Cómo os llamáis?
e. ¿Puedes prestarme el coche?

a. ....
b. ....
c. ....
d. ....
e. ....

3. Completa las frases eligiendo el pronombre personal sujeto que falta:

Nosotros	Usted	Tú / Yo	Vosotros	Ustedes

a. Si .... no vas, ... tampoco voy.
b. ¿Lleva .... hora, por favor?
c. ¿Quieren .... comer?

d. .... no tenemos sitio.
e. ¿Vivís .... en esa casa?

4. Completa las frases, utilizando los pronombres Lo / La, Los / Las, en lugar de los nombres señalados:

> Ej.: Tengo **un disco**, ¿**lo** quieres?

a. Necesitamos **unos libros**, ¿........... compramos?
b. Me gusta **esa casa**, ¿........... alquilarán?
c. **El coche** está muy sucio, ¿ .... piensas lavar?
d. No quedaban **entradas**, ... han vendido todas.
e. Voy a hacerte **el café**, ¿cómo .... quieres?

5. Completa las frases, utilizando los pronombres Lo / Los, La / Las, Le / Les, en lugar de los nombres señalados:

> Ej.: ¿Has visto a **Irene**? No, no **la** he visto.

a. ¿**Señor Pérez**? .... llaman por teléfono.
b. ¿Vienen **las niñas**? No, no .... dejan salir.
c. ¿Cuánto quieres **a tus padres**? .... quiero mucho.
d. ¿Has invitado **a los Marín** a la fiesta? Sí, ... he invitado.
e. ¿Ha llegado **el cartero**? No .... sé, no .... he visto.

6. Completa estas frases colocando los pronombres persona-
les en su lugar adecuado:

Le Ti Nos Me Yo Los Se Se Nos

a. Cuando .... conocí, ... escribíamos casi todos los días.

b. No .... iremos sin .... , Vicente.

c. Ramón .... ha dicho que .... quiere mudar este año.

d. ¿ .... llamamos? .... pondrían muy contentos.

e. Felipe y .... no estamos de acuerdo.

7. Señala la forma correcta:

a. Todos van de excursión, excepto ☐ **mí**.
                                  ☐ **me**
                                  ☐ **yo**

b. Este regalo es para ☐ **te**.
                           ☐ **ti**
                           ☐ **tú**

c. ¿Estabas con ☐ **él**?
                    ☐ **sí**?
                    ☐ **consigo**?

d. Estaba sentado entre ☐ **ti y yo**.
                              ☐ **ti y mí**
                              ☐ **tú y yo**

e. Vienen detrás de ☐ **me**.
                      ☐ **mí**
                      ☐ **yo**

8. Completa con el pronombre personal adecuado:

a. A .... me gusta pasear.

b. A .... te gustan los coches.

c. A .... le gusta estudiar.

d. A .... nos gustan los viajes.

e. A .... os gusta leer.

f. A .... les gustan los deportes.

9. Relaciona las frases de las dos columnas:

a. Compra el pan.

b. Friega los cubiertos.

c. Limpia la habitación.

d. Riega las plantas.

e. Cierra la puerta.

1. *Ya las he regado.*

2. *Ya la he cerrado.*

3. *Ya lo he comprado.*

4. *Ya los he fregado.*

5. *Ya la he limpiado.*

10. Completa las frases con el pronombre personal adecuado:

a. No .... digas nada a Antonio.

b. Ana, ¿a qué hora .... vas?

c. Mónica .... ha cortado el pelo.

d. No quiero cebolla. No .... digiero bien.

e. A mí no .... han preguntado nada.

10 Los numerales

1. Enlaza los números cardinales con sus correspondientes ordinales:

a. uno.	1. *cuarto.*
b. dos.	2. *noveno.*
c. tres.	3. *sexto.*
d. cuatro.	4. *décimo.*
e. cinco.	5. *primero.*
f. seis.	6. *tercero.*
g. siete.	7. *séptimo.*
h. ocho.	8. *segundo.*
i. nueve.	9. *quinto.*
j. diez.	10. *octavo.*

2. Tacha la conjunción Y cuando esté incorrectamente utilizada:

a. En aquel Instituto había cuatrocientos y ochenta estudiantes.
b. Tengo ya dos mil y quinientos sellos.
c. Era una clase con demasiados alumnos: ¡treinta y tres!
d. El coche le ha costado tres millones y medio de pesetas.
e. Esa ciudad tiene un millón y cuatrocientos y mil habitantes.

3. Subraya la forma correcta:

a. Treintaitrés / Treinta y tres.
b. Veinticuatro / Veinte y cuatro.
c. Cincuentaisiete / Cincuenta y siete.
d. Veintiocho / Veinte y ocho.
e. Diecitrés / Trece.

4. Escribe con letra:

a. 16: ....
b. 23: ....
c. 115: ....
d. 240: ....
e. 1022: ....

5. Escribe con números:

a. Cien mil cuatrocientos: ....
b. Noventa y dos mil veintiuno: ....
c. Un millón noventa: ....
d. Ochocientos doce mil cuatro: ....
e. Mil sesenta y cuatro: ....

6. **Lee los resultados de este sorteo de lotería:**

Número premiado: 12345

Cifras iniciales	Pesetas al décimo
1	500
10	1.000
12	2.000
14	1.000
16	1.000
18	1.000
123	25.000
1234	50.000
12344	150.000
12345	3.000.000
12346	150.000

Cifras finales	Pesetas al décimo
5	500
45	2.000
345	25.000
2345	50.000

Ahora contesta, escribiendo los números con letra, a las siguientes preguntas:

a. ¿Cuál ha sido el número premiado en el sorteo?

a. ....

b. ¿Cuánto ganan los décimos terminados en cinco?

b. ....

c. ¿Cuánto ganan los décimos que empiezan por doce?

c. ....

d. ¿Qué otros décimos ganan la misma cantidad que éstos últimos?

d. ....

e. ¿Qué décimos ganan mil pesetas?

e. ....

7. **Mismo ejercicio que el anterior:**

a. ¿Cuál es el mayor premio de todos?

a. ....

b. ¿Qué décimos son los que más ganan después del anterior? ¿Cuánto ganan?

b. ....

c. Busca una cifra inicial y otra final que ganen más de treinta mil pesetas y menos de cien mil. ¿Cuáles son? ¿Cuánto ganan?

c. ....

d   ¿Qué premio le sigue al de dos mil pesetas?

d. ....

e. ¿A qué números les toca dicho premio?

e. ....

8. **Escribe con letra el ordinal correspondiente al número indicado entre paréntesis:**

a. Es la (2) vez que veo esta película.

a. ....

b. Miguel es el (1) de la clase.

b. ....

c. Éste es el (1) verano que vamos de vacaciones a la montaña.

c. ....

d. Le han suspendido por (4) vez.

d. ....

e. Marzo es el (3) mes del año.

e. ....

9. **Contesta escribiendo los números con letra:**

a. ¿Cuál es tu número de teléfono?

a. ....

b. ¿En qué año naciste?

b. ....

c. ¿Cuántos años tienes?

c. ....

d. ¿Cuántos habitantes, aproximadamente, hay en tu pueblo o ciudad?

d. ....

e. ¿En qué piso vives? ¿Cuál es el número de tu casa?

e. ....

10. **Completa las frases con Uno / Un / Una:**

a. Necesito ...... kilo de azúcar.

b. Nos hemos comprado ...... casa en el campo.

c. ¿Que cuántos hermanos tengo? Sólo ....

d. Tienen ...... sofá-cama en el salón.

e. ¿Te gustaría tener ...... como el mío?

11 Los indefinidos

1. **Completa el diálogo con Alguno / Ninguno o su forma apocopada cuando ésta sea necesaria:**

Isabel: Al final, no te has comprado .... vestido.

Ana: Es que no me gustaba .... de los que he visto.

Isabel: ¿Quieres que te preste yo .... ?

Ana: No, gracias. Me compraré .... pantalón.

2. **Contesta negativamente a las preguntas:**

a. ¿Me ha llamado alguien?   a. ....

b. ¿Sabes algo de Isabel?   b. ....

c. ¿Has probado algún pastel?   c. ....

d. ¿Necesita Vd. algo?   d. ....

e. ¿Has quedado con alguien?   e. ....

3. **Completa las frases eligiendo un indefinido adecuado entre los dados, apocopándolo cuando sea necesario:**

Algo	Ninguno	Nadie	Nada	Alguien	Alguno

a. No he visto a .... conocido.

b. Esperan a .... más.

c. No tienen .... que decir.

d. No quiero que me hagas .... favor.

e. Por aquí debe de haber .... hotel.

f. Tengo que decirte ....

4. **Escribe las frases contrarias a las anteriores:**

a. ....

b. ....

c. ....

d. ....

e. ....

f. ....

5. **Señala la respuesta correcta:**

a. Lo vi el ☐ **tal** día que fui a matricularme.

      ☐ **igual**

      ☐ **mismo**

b. Ante ☐ **propia** situación, decidieron abandonar el proyecto.

      ☐ **tal**

      ☐ **misma**

c. Tenemos los ☐ **mismos** gustos.

      ☐ **iguales**

      ☐ **semejantes**

d. Su ☐ **semejante** hijo le oyó decirlo.
   ☐ **tal**
   ☐ **propio**
e. Los quiere a todos por ☐ **mismo.**
   ☐ **igual**
   ☐ **semejante**

6. **Utiliza indefinidos que expresen diversidad para completar las frases:**

a. ¿Te apetece .... taza de café?
b. Sólo han aprobado tres alumnos; los .... están suspensos.
c. Tengo .... invitaciones para el concierto.
d. Nos enseñaron .... modelos.
e. Nos veremos .... día.

7. **Ordena los elementos para formar frases:**

a. En / sabremos / momento / lo / cualquier.
a. ....
b. Responsabilice / cual / lo / se / cada / suyo / de / que.
b. ....
c. Lo / cada / viene / que / habla / vez / mismo / de.
c. ....
d. Un / hoy / cualquiera / es / no / día.
d. ....
e. Llamamos / quince / días / cada / nos.
e. ....

8. **Subraya la forma correcta:**

a. Los regalos les han gustado **muchos / mucho**.
b. Tengo **bastante / bastantes** con dos mil pesetas.
c. Es un piso con muy **pocas / poca** luz.
d. Son **demasiados / demasiado** jóvenes para entenderlo.
e. Tienen **demasiados / demasiado** juguetes.

9. **Completa con Todo en la forma que convenga:**

a. ¡Espera, eso no es .... !
b. Ya se lo he dicho a .... ellos.
c. ¿Saben Vds. .... lo que pasó?
d. Cómete .... la comida.
e. ¿Han llegado ya .... las concursantes?

10. **Di cuáles son los indefinidos contrarios a:**

a. Diferente.   a. ....
b. Ningunas.   b. ....
c. Mucho.   c. ....
d. Algo.   d. ....
e. Nadie.   e. ....

Pronombres relativos.
Interrogativos y exclamativos

1. **Elige entre los pronombres relativos Que / Quien para completar las frases:**

    a. Ha sido Ramón .... lo ha roto.

    b. ¿Le gustó el regalo .... le hiciste?

    c. .... vote, que firme aquí.

    d. El .... quiera el libro, que lo encargue.

    e. Esa no es la llamada .... esperaba.

2. **Enlaza los elementos de las dos columnas para formar frases:**

a. Es el hombre	1. *los que tengan cita.*
b. Que pasen sólo	2. *que me gustaría tener.*
c. Mira, ésa es la moto	3. *la que vino el otro día.*
d. Coge todo	4. *de quien te hablé.*
e. Esa chica es	5. *lo que necesites.*

3. **Transforma según el modelo:**

> Ej.: Me acabo de comprar una radio y no funciona bien. ➡ La radio **que** me acabo de comprar no funciona bien.

    a. Me ha preguntado una mujer por ti y no me ha dicho quién es.

    a. ....

    b. Se encontraron un perro por la calle y se lo llevaron a su casa.

    b. ....

    c. Escribió una carta y nunca la mandó.

    c. ....

    d. Hizo unos pasteles y se le quemaron.

    d. ....

    e. Ganó una copa y la puso en su despacho.

    e. ....

4. **Elige el relativo adecuado para completar las frases:**

La que	Lo que	Cuyo	Las que	Los que

    a. No te he comprado las carpetas porque no sabía .... querías.

    b. Eso no es .... quiero decir.

    c. Es el alumno .... padre es actor.

    d. No conozco a esa chica de .... me hablas.

    e. No invites a .... invitaste la última vez. ¡Son unos pesados!

5. Relaciona los elementos de las dos columnas:

a. Te he traído un disco de los que querías.

b. No puedo comprarlo, cuesta demasiado.

c. Me han dado recuerdos para ti.

d. Sé muy bien lo que le gustaría.

e. Me he enterado de algo muy interesante.

1. ¿Cuánto?
2. ¿De qué?
3. ¿Qué?
4. ¿Cuál?
5. ¿Quién?

6. Completa con el interrogativo adecuado:

a. ¿En .... estás pensando?

b. ¿ .... hermanas tienes?

c. ¿ .... llama?

d. ¿ .... es el mejor método de inglés?

e. ¿De .... es esta pluma?

7. Corrige los errores:

a. ¿En cuál autobús has venido?   a. ....

b. ¿Cuálas son las mejores alumnas? b. ....

c. ¿Quiénes será ahora?   c. ....

d. ¿Cuáles idiomas hablas?   d. ....

e. ¿Cuánto años tiene Andrés?   e. ....

8. Completa con ¡Qué! / ¡Quién! / ¡Cuánto!:

a. ¡ .... guapo es!

b. ¡ .... ruido más insoportable!

c. ¡ .... tráfico hay hoy!

d. ¡ .... supiera bailar como él!

e. ¡ .... te echo de menos!

9. Transforma estas frases afirmativas en exclamativas:

> Ej.: Hace un día precioso. ➡ ¡Qué día más precioso hace!

a. Estoy muy cansado.   a. ....

b. Aquí se está muy bien.   b. ....

c. Ese chico es muy simpático.   c. ....

d. Esa música está muy alta.   d. ....

e. Tiene muy mal carácter.   e. ....

10. Subraya las frases en las que ¡Cuánto! pueda ser sustituido por ¡Qué!:

a. ¡Cuántas ganas tengo de ir!

b. ¡Cuántas librerías hay en este barrio!

c. ¡Cuánto sueño tengo!

d. ¡Cuánta gente ha venido!

e. ¡Cuánto frío hace!

13-14 Apócope. Diminutivos y aumentativos

1. Corrige los errores que haya poniendo las formas apocopadas de las palabras señaladas cuando sea necesario:

a. Entre ellos hay una **buena** amistad.

a. ....

b. Sus hijos ya son **grandes**.

b. ....

c. No le gusta **cualquiera** playa.

c. ....

d. No tengo **ninguno** problema.

d. ....

e. Tiene **uno** día de descanso a la semana.

e. ....

2. Ordena los elementos para formar frases:

a. Conviene / día / cualquier / me.

a. ....

b. Grande / su / es / despacho / muy.

b. ....

c. Sólo / uno / necesito.

c. ....

d. Hace / día / hoy / mal.

d. ....

e. Actor / un / es / gran.

e. ....

3. Señala la forma correcta:

a. Es sólo ☐ **uno** niño.
   ☐ **un**

b. Es ☐ **un mal** conductor.
   ☐ **uno malo**

c. Este helado no está ☐ **buen**.
   ☐ **bueno**

d. ¿Es ☐ **tanto** bonito como dicen?
   ☐ **tan**

e. Es un ☐ **gran** hombre.
   ☐ **grande**

4. Completa las frases eligiendo entre los términos dados:

Cualquier	Algún	Cien	Primero	Tercer

a. Son más de .... invitados.

b. Viene siempre a .... hora.

c. Yo lo vi ....

d. Ha tenido el .... examen hoy.

e. ¿Hay .... programa de cine por aquí?

5. Da diminutivos de:

a. Niño.
b. Gata.
c. Árbol.
d. Amor.
e. Sartén.

a. ....
b. ....
c. ....
d. ....
e. ....

6. Da aumentativos de:

a. Problema.
b. Disgusto.
c. Hombre.
d. Mujer.
e. Tonto.

a. ....
b. ....
c. ....
d. ....
e. ....

7. Enlaza los diminutivos y aumentativos con sus correspondientes sustantivos:

a. Feíto.
b. Cabezazo.
c. Cochazo.
d. Palizón.
e. Duendecillo.

1. *Paliza.*
2. *Duende.*
3. *Coche.*
4. *Feo.*
5. *Cabeza.*

8. Tacha las palabras de cada serie que sean extrañas por alguna razón:

a. Palabrica, hermanito, pajarillo, cerámica, mesita.
b. Padrazo, ratón, bocadillazo, sillón, grandote.
c. Peatón, besazo, león, animalote, pantalón.
d. Gusanito, angelito, caramelito, bonito, cuentecito.
e. Tijeritas, pececillo, librito, informática, casica.

9. Ahora di de qué palabras derivan los diminutivos del ejercicio 8:

a. ....
b. ....
c. ....
d. ....
e. ....

10. Y los aumentativos, ¿de qué sustantivos derivan?:

a. ....
b. ....
c. ....
d. ....
e. ....

15 La conjugación regular

1. Contesta a las siguientes preguntas:

a. ¿Vives en una ciudad grande? a. ....
b. ¿A qué hora comes en tu país? b. ....
c. ¿Viajas mucho? c. ....
d. ¿Estudias español? d. ....
e. ¿Qué idiomas hablas? e. ....

2. Pon las siguientes frases en plural:

a. Mi hijo domina muy bien el inglés. a. ....
b. El ciclista bebe agua. b. ....
c. ¿Sube Vd. en ascensor? c. ....
d. El autobús llega a las 11. d. ....
e. El niño lee un cuento. e. ....

3. Completa las frases:

a. ¿Corren Vds. todos los días?
No, nosotros sólo .... los fines de semana.

b. Metemos nuestros ahorros en este banco. Vosotros, ¿dónde
los ....?

c. ¿Compráis a menudo en este supermercado?
Sí, siempre .... aquí.

d. ¿A qué hora entráis a clase?
.... todos a las 9.

e. Os escribimos todos los meses. Pero vosotros nos .... muy poco.

4. Completa el imperfecto de indicativo de los siguientes verbos:

Preparar	Temer	Vivir
Preparaba	....	....
....	Temías	....
....	....	Vivía
....	Temíamos	....
....	....	Vivíais
Preparaban	....	....

5. Pon en futuro y en condicional simple:

	Futuro	Condicional
a. **Firmo** el documento.	a.	a. ....
b. **Abrimos** por las tardes.	b.	b. ....
c. **Llegáis** al trabajo a las 9.	c.	c. ....
d. **Suben** los precios.	d.	d. ....
e. **Comes** en el restaurante.	e.	e. ....

6. Señala la forma verbal correcta:

a. Niños, ☐ ¡**coman**!

☐ ¡**comed**!

☐ ¡**come**!

b. Paco, ☐ **dejad** eso donde estaba.

☐ **dejado**

☐ **deja**

c. ☐ **Escribían** todos vuestro nombre.

☐ **Escriben**

☐ **Escribid**

d. Por favor, Marta, ☐ **mira**.

☐ **mirad**

☐ **miras**

e. Chicos, ¡ ☐ **prestáis** atención!

☐ **prestad**

☐ **prestas**

7. Transforma según el modelo:

> Ej.: Los turistas **llegaron** en avión. ➡ Los turistas **han llegado** en avión.

a. La modista me **cosió** un vestido.	a. ....
b. **Subieron** los 4 pisos andando.	b. ....
c. **Bebiste** demasiado.	c. ....
d. Ya **terminamos** el trabajo.	d. ....
e. Me **compré** ropa.	e. ....

8. Pon los tiempos indicados en la misma persona que el modelo:

	Pretérito indefinido	Pretérito perfecto
a. Esperaré	....	....
b. Acabad	....	....
c. Vivías	....	....
d. Temerían	....	....
e. Leéis	....	....

9. **Ahora di el tiempo y la persona de los verbos del ejercicio anterior e indica su infinitivo:**

	Tiempo	Persona	Infinitivo
a. Esperaré	....	....	....
b. Acabad	....	....	....
c. Vivías	....	....	....
d. Temerían	....	....	....
e. Leéis	....	....	....

10. **Di cuál es el gerundio de los siguientes verbos:**

a. Correr.	a.	....	
b. Escribir.	b.	....	
c. Mirar.	c.	....	
d. Barrer.	d.	....	
e. Prestar.	e.	....	

16 La conjugación irregular

1. **Pasa los verbos de las siguientes frases a segunda persona del singular:**

a. Queremos ir a Australia.
b. Perdemos muchas cosas.
c. Confesamos la verdad.
d. Tenemos tres hijos.
e. Dormimos en el tren.

a. ....
b. ....
c. ....
d. ....
e. ....

2. **Agrupa los verbos según su modelo de conjugación:**

Conocer	Cantar	Traducir	Poder	Vivir	Mover
Vestir	Beber	Pedir	Volar	Llegar	Querer
Tomar	Conducir	Pensar	Contar		

V. Regulares	1ª pers. en -ZC	O > UE	E > IE	E > I
....	....	....	....	....
....	....	....	....	....
....	....	....	....	....
....	....	....	....	....
....	....	....	....	....

3. **Clasifica los verbos señalados en estas frases en regulares o irregulares:**

	V. regulares	V. irregulares
a. **Ha dicho** que no le **esperes**.	....	....
b. No **recuerdo** su nombre.	....	....
c. ¿**Puedes entender**le?	....	....
d. Si **habla** rápido, no.	....	....
e. ¿Le **conoces** o te lo **presento**?	....	....

4. **Di el infinitivo de los verbos irregulares que hayas encontrado en las frases del ejercicio 3:**

Verbos irregulares

....
....
....
....
....
....
....

5. Da 5 ejemplos más de verbos que presenten las irregulari-
dades halladas en el ejercicio 3:

a. ....

b. ....

c. ....

d. ....

e. ....

6. Pon en presente de indicativo los verbos que están entre
paréntesis:

a. Yo (pensar) ser piloto de carreras.

a. ....

b. Él (sentir) gran admiración por ese actor.

b. ....

c. Los niños (jugar) a ser exploradores.

c. ....

d. ¿Tú (preferir) ver las películas en el cine?

d. ....

e. Yo (conocer) muy bien a ese director.

e. ....

7. Pon en forma afirmativa:

a. No lo sueñes.   a. ....

b. No te pierdas la última película.   b. ....

c. No te informes.   c. ....

d. No lo mováis.   d. ....

e. No pongáis la tele.   e. ....

8. Pon en forma negativa:

a. Díselo.   a. ....

b. Merienda.   b. ....

c. Recordadlo.   c. ....

d. Cuéntalo.   d. ....

e. Obedeced.   e. ....

9. Pon en pretérito perfecto:

a. Los pequeños **hacen** dibujos.   a. ....

b. Los mayores **escriben**.   b. ....

c. No **veo** a su hijo.   c. ....

d. ¿**Abren** ya?   d. ....

e. ¿Qué **dice**?   e. ....

10. Señala la forma correcta:

a. ¿Estábais ☐ **durmiendo**?
             ☐ **dormiendo**

b. Anoche ☐ **esté** en su casa.
          ☐ **estuve**

c. ¿ ☐ **Saberá** él algo?
   ☐ **Sabrá**

d. No ha ☐ **vuelto** aún.
        ☐ **volvido**

e. Por favor, ¿ ☐ **podría** Vd. ayudarme?
          ☐ **podería**

17 Verbos irregulares de especial complejidad

1. **Formula, tuteando, la pregunta correspondiente a la respuesta:**

a. .... No, no sé cómo se llama.
b. .... Sí, doy clases en ese colegio.
c. .... No, no tengo hermanos.
d. .... No, no soy francés.
e. .... Sí, estoy en España.

2. **Escribe la primera persona del singular del presente de indicativo de los siguientes verbos:**

a. Salir ....   f. Haber ....
b. Dar ....   g. Traer ....
c. Venir ....   h. Decir ....
d. Caer ....   i. Ver ....
e. Hacer ....   j. Oír ....

3. **Escribe el infinitivo de los siguientes verbos:**

a. Valgo ....   f. Oyó ....
b. Hemos ....   g. Quise ....
c. Pueden ....   h. Vinisteis ....
d. Pongo ....   i. Tuvimos ....
e. Voy ....   j. Fue ....

4. **Corrige los errores que encuentres en las formas verbales:**

a. Oymos hablar a los vecinos.
a. ....

b. ¿Puedéis ayudarnos, por favor?
b. ....

c. Quere cambiar de trabajo.
c. ....

d. ¿Cabo yo también en el coche?
d. ....

e. Ella ya habe hablado con mi padre.
e. ....

5. **Conjuga el imperativo de los siguientes verbos:**

a. Decir: ....
b. Estar: ....
c. Ir: ....

d. Poner: ....

e. Salir: ....

f. Tener: ....

6. **¿Cuáles de estos 5 verbos son los que presentan un imperfecto de indicativo irregular? Conjúgalos:**

Ir	Dar	Haber	Ser	Ver

....

....

....

....

....

7. **Transforma según el modelo:**

> Ej.: Entonces **tenía** muchos problemas. ➡ Entonces **tuvo** muchos problemas.

a. Yo **iba** todos los días a verle.

a. ....

b. Aquella tarde **hacía** mucho frío.

b. ....

c. **Decían** cosas muy bonitas.

c. ....

d. **Poníamos** la radio para escuchar las noticias.

d. ....

e. **Traíais** regalos para todos.

e. ....

8. **Completa las frases poniendo los verbos en futuro:**

> Ej.: **He salido** tarde del trabajo. ➡ Mañana **saldré** más temprano.

a. De momento, no **digo** nada más. En otra ocasión .... más.

b. Ahora no **pueden** atenderle. Dentro de un rato ....

c. ¿Aún no lo **sabe**? En seguida lo ....

d. Si no **tenéis** tiempo ahora, ¿cuándo lo .... ?

e. ¿**Vienes** hoy o cuándo .... ?

9. **Cambia a condicional los futuros obtenidos en el ejercicio 8:**

Futuro	Condicional
a.	....
b.	....
c.	....
d.	....
e.	....

10. **Transforma según el modelo:**

> Ej.: Haz los deberes. ➧ Ya los he hecho.

a. Poned la mesa.	a. ....
b. Ved la película.	b. ....
c. Escribe las cartas.	c. ....
d. Compra el pan.	d. ....
e. Decid la verdad.	e. ....

18 Modificaciones ortográficas y alteraciones del acento

1. **Conjuga el presente de indicativo de:**

    a. Elegir: ....

    b. Recoger: ....

    c. Convencer: ....

    d. Distinguir: ....

    e. Cruzar: ....

2. **Corrige los errores que encuentres:**

a. Cuezco.	a. ....
b. Acerqua.	b. ....
c. Escojo.	c. ....
d. Corrigo.	d. ....
e. Pagé.	e. ....

3. **Conjuga el pretérito indefinido de:**

    a. Leer: ....

    b. Reír: ....

    c. Atestiguar: ....

    d. Sacar: ....

    e. Tropezar: ....

4. **Pon los acentos que sean necesarios:**

    a. Me cambio de ropa en un momento.

    b. Juan deslia el paquete.

    c. No actuas como debes.

    d. Anoche averigue lo que paso.

    e. Confio en ti.

5. **Subraya los verbos que presenten algún tipo de modificación vocálica, consonántica o de acento:**

Seguir	Esperar	Beber	Creer	Freír
Aparcar	Lavarse	Ejercer	Escribir	Ahogar
Proteger	Cansarse	Empezar	Cenar	Desviar
Apaciguar	Cambiar	Prepararse	Mirar	Levantarse

6. **Clasifica los verbos del ejercicio 5 según su tipo de irregularidad:**

> Ej.: Seguir (verbos que transforman E > I): irregularidad vocálica.

a. Irregularidad vocálica: ....

....

b. Irregularidad consonántica: ....

....

c. Modificación del acento: ....

....

7. **Pon en imperativo:**

a. (Fregar, tú) los platos.　　　　　　a. ....
b. (Acercarse, Vd.) aquí.　　　　　　 b. ....
c. (Cruzar, tú) por el paso de peatones. c. ....
d. (Convencer, tú) a los demás.　　　 d. ....
e. (Coger, Vd.) una silla.　　　　　　e. ....

8. **Pon en presente de indicativo los verbos que están entre paréntesis:**

a. Tú (ejercer) tu profesión, pero yo no (ejercer) la mía.
a. ....

b. Vds. (coger) el metro, pero yo (coger) el autobús.
b. ....

c. Tú (conseguir) el puesto, pero yo no (conseguirlo).
c. ....

d. Pedro (confiar) en mí, pero yo no (confiar) en él.
d. ....

e. Tú (exigir) un aumento, pero yo no (exigirlo).
e. ....

9. **Señala la respuesta correcta:**

a. No ☐ **almuerces** ahora.
　　　☐ **almuerzes**

b. ☐ **Sigua** esperando.
　　☐ **Siga**

c.   ☐ **Copien** la frase.
     ☐ **Copíen**

d.   ☐ **Arranque** ese cartel.
     ☐ **Arrance**

e.   ☐ **Empezé** a escribir.
     ☐ **Empecé**

10. **Di el infinitivo de los verbos señalados en estos anuncios y clasifícalos según sus características:**

Por menos de lo que **imagina**

DESPIERTE *EN UNA OBRA DE ARTE.*

El arte de palacios, castillos, conventos y arquitectura de nuestro tiempo.
El valor de nuestra Historia de ayer y de hoy. 86 enclaves para despertar todos los sentidos. Para **practicar** su deporte favorito y **descansar**.
Para **disfrutar** plenamente de la naturaleza y de todo el sabor de nuestra cocina. Con mucho gusto. **Viva** su descanso con arte.

SUEÑE *EN UN PALACIO.*

En palacios, castillos, conventos o arquitectura actual.
Enclaves únicos de nuestra geografía. **Elija** entre 86 destinos originales para vivir todo el arte de lo nuestro: gastronomía, artesanía, costumbres y fiestas. Disfrútelo por menos de lo que imagina. Usted **puede**.
Viva su sueño con arte.
PARADORES de Turismo de España.

---

a. Verbos regulares: ....
b. Verbos con diptongación: ....
c. Verbos con modificaciones consonánticas: ....

19 Auxiliares y construcciones verbales

1. Completa las frases conjugando los verbos que indican los números:

a. Ella ....1.......... muy tarde esta noche.
b. A mí ....2.......... mucho la película.
c. A los profesores no les ....3.......... los horarios.
d. ¿ ....4.......... ya Paco?
e. ....5.......... con nosotros.

1.: Acostarse - Pretérito perfecto.
2.: Gustar - Presente de indicativo.
3.: Satisfacer - Presente de indicativo.
4.: Irse - Pretérito perfecto.
5.: Quedarse - imperativo, 2ª persona singular.

2. Relaciona las formas verbales de significado análogo:

a. Me encanta.	1. *Me da igual*.
b. Me sorprende.	2. *Me satisface*.
c. Me alegra.	3. *Me importa*.
d. Me afecta.	4. *Me vuelve loco*.
e. No me importa.	5. *Me extraña*.

3. ¿Ser o estar? Corrige los errores que encuentres:

a. La pulsera está de oro. ....
b. No es verdad. ....
c. Estamos de Madrid. ....
d. Estamos de vacaciones. ....
e. No está muy inteligente. ....
f. La comida es servida. ....
g. Este pueblo es muy bonito. ....
h. Los niños están jugando. ....
i. Es lloviendo. ....
j. Ya está muy tarde. ....

4. Transforma según el modelo:

> Ej.: Su actitud **fue** muy **criticada**. ➡ **Se criticó** mucho su actitud.

a. Ese artículo **fue publicado** hace tiempo.
a. ....

b. La solución no **fue hallada**.
b. ....

c. Las joyas no **fueron encontradas**.
c. ....

d. La carretera no **fue arreglada**.

d. ....

e. El robo no **fue declarado**.

e. ....

5. **Pon en participio los verbos que van entre paréntesis:**

a. Rosa está (enfadar).

a. ....

b. Los paquetes son (repartir) por el cartero.

b. ....

c. La vida se ha (poner) muy cara.

c. ....

d. La lavadora está (estropear).

d. ....

e. Vicente se ha (quedar) con los niños.

e. ....

6. **Ordena los elementos para formar frases:**

a. Pepe / ha / bien / portado / se / muy / hoy.

a. ....

b. La / que / ya / preparar / mesa / hay.

b. ....

c. Día / vendieron / aquel / muchos / se / paraguas.

c. ....

d. Estarán / Martínez / ahora / los / ocupados / muy.

d. ....

e. Comiendo / llegaron / estábamos / cuando.

e. ....

7. **Señala la respuesta correcta:**

a. Mi padre no ☐ **es** en casa.
   ☐ **está**

b. ¿Quiénes ☐ **son** Vds.?
   ☐ **están**

c. ☐ **Estoy** de Badajoz.
   ☐ **Soy**

d. ☐ **Estoy** en León.
   ☐ **Soy**

e. El disco ☐ **está** de mi hermano.
   ☐ **es**

8. Haz frases que definan:

a. La fecha de hoy.

b. El año.

c. El día de la semana.

d. El mes en que nos encontramos.

e. La estación del año.

a. ....

b. ....

c. ....

d. ....

e. ....

9. Formula las preguntas adecuadas, con Ser o Estar:

> Ej.: Mesa - rectangular / de mármol ⟹ ¿Cómo es? / ¿De qué es?

a. Café - caliente / bueno.

b. Puerta - cerrada / de madera.

c. Fresa - roja / dulce.

d. Niño - revoltoso / enfermo.

e. Ordenador - práctico / averiado.

a. ....

b. ....

c. ....

d. ....

e. ....

10. Completa estos mini-diálogos con Ser o Estar:

a. — Perdone, ¿................ aquí donde paran los taxis?

— Sí, aquí ....

b. — Juan, ¿................ tu hermana aquí?

— No, ... de vacaciones.

c. — ¿Crees que Pilar .... rubia natural?

— No sé, no .... seguro.

Modo indicativo. Valores y usos del indicativo en oraciones subordinadas

1. Relaciona cada frase con lo que exprese el verbo y di de qué tiempo se trata:

a. **Trabajo** en el Ministerio.
b. Allí todo **era** precioso.
c. **Estarán** ya en París.
d. **Deberías** comer menos.
e. **Te sientas** y **te callas**.

1. Probabilidad (Tiempo: ....).
2. Consejo (Tiempo: ....).
3. Acción habitual (Tiempo: ....).
4. Orden (Tiempo: ....).
5. Narración (Tiempo: ....).

2. Completa las frases poniendo el verbo en presente de indicativo:

a. Inés (tardar) **tanto que** (irnos) sin esperarla.

a. ....

b. Ella (ponerse) **tan** pesada **que** (nosotros-tener) que aceptar.

b. ....

c. **En vista de que** tú no (creerme), (tú-preguntárselo) a él.

c. ....

d. Yo no (hacerlo) **porque** (yo) no (saber) hacerlo.

d. ....

e. Los de al lado (estar) de obras, **por eso** (nosotros-tener) tanto polvo.

e. ....

3. Di lo que expresan las conjunciones y locuciones señaladas en el ejercicio anterior:

a. ....
b. ....
c. ....
d. ....
e. ....

4. Elige entre el pretérito indefinido o el imperfecto de indicativo para conjugar los infinitivos entre paréntesis:

a. Salimos del cine y después (ir) a tomar una copa.

a. ....

b. Cuando estaba en la playa, me (gustar) bañarme por la noche.

b. ....

c. Anoche (venir) Juan cuando ya estábamos acostados.

c. ....

d. Ayer, para la fiesta, me (poner) el vestido negro.

d. ....

e. Cuando le vi no (parecer) preocupado.

e. ....

5. Di lo que expresan los tiempos señalados:

a. No **sabría** que lo estábamos esperando.

a. ....

b. En cuanto **terminaban** de comer **jugaban** a las cartas.

b. ....

c. ¡**Será** maleducado!

c. ....

d. Se **quieren** comprar una casa.

d. ....

e. Me **sorprendió** mucho la noticia.

e. ....

6. Completa las frases con una conjunción o locución causal:

a. .... no he escuchado las noticias, no me había enterado.

b. No quieren firmar .... no están de acuerdo.

c. .... hace tan buen tiempo, iremos a dar una vuelta.

d. .... ese libro es tan interesante, préstamelo.

e. .... son demasiados invitados, cenaremos en el restaurante.

7. Transforma en oraciones interrogativas indirectas:

> Ej.: ¿Te vas con ellos? ➠ **Te pregunto si** te vas con ellos.

a. ¿Tienes hoy clase de inglés?   a. ....

b. ¿Vas a salir esta noche?   b. ....

c. ¿Se ha comprado ya el diccionario?   c. ....

d. ¿Han reservado habitación?   d. ....

e. ¿Habéis llamado vosotros?   e. ....

8. Transforma en oraciones consecutivas, utilizando diferentes locuciones:

> Ej.: Suele mentir mucho. Nadie le cree. ➠ Suele mentir mucho, **de modo que** nadie le cree.

a. Es una película preciosa. Tiene mucho éxito.

a. ....

b. Es un sitio muy caro. No se puede ir todos los días.

b. ....

c. Necesitamos más huevos. Iré a comprarlos.

c. ....

d. Tengo clase dentro de diez minutos. No puedo quedarme.

d. ....

e. El tren está al llegar. Espérate aquí.

e. ....

9. Completa con Tan / Tanto:

a. No vale .... como pensaba.

b. No hay .... gente como el año pasado.

c. Tiene .... alumnos que no caben en el aula.

d. Está .... preocupada que no consigue dormir.

e. Ya no sale .... como antes.

10. Elige entre Igual (+sust./adj.) + que o Más/Menos (+sust./adj.) + que para completar las frases:

> Ej.: ¡Qué barato! Es **más** barato **de lo que** creía.

a. Inés va vestida .... yo.

b. ¡Qué poco divertido! Es .... imaginaba.

c. ¡Cuánta gente! Hay .... pensaba.

d. Este disco es .... el que tengo.

e. Verás lo guapa que es. Es .... te crees.

Modo subjuntivo. Valores y usos del subjuntivo en oraciones subordinadas

1. **Pon los verbos que van entre paréntesis en presente de subjuntivo:**

a. José quiere que Manuel (ayudarle).

a. ....

b. No creo que estos alumnos (suspender).

b. ....

c. ¿Dudan que yo (ser) capaz de hacerlo?

c. ....

d. Me extraña mucho que ellos no (haber) llegado aún.

d. ....

e. Me sorprende que Carlos no (salir) esta noche.

e. ....

2. **¿Indicativo o subjuntivo? Pon los verbos en el presente del modo que convenga:**

a. Sé que (tú-ir) a verle con frecuencia.

a. ....

b. No estoy seguro de que Rosa (querer) hacerlo.

b. ....

c. No me parece que eso (estar) bien.

c. ....

d. Es seguro que ahí no (haber) ningún médico.

d. ....

e. Creo que (hacerme) falta unos días de descanso.

e. ....

3. **Pon en forma negativa:**

a. Deja eso ahí.   a. ....

b. Sube ahora.   b. ....

c. Leed en voz alta.   c. ....

d. Venid aquí.   d. ....

e. Ve a su casa.   e. ....

4. Señala la respuesta correcta:

a. A lo mejor ☐ **viene** esta noche.
         ☐ **venga**

b. Tal vez no ☐ **quiere** decírmelo.
         ☐ **quiera**

c. ☐ **Llegará**, quizás, pronto.
  ☐ **Llegue**

d. Quizás ☐ **llueva** esta tarde.
        ☐ **llueve**

e. A lo mejor este verano ☐ **voy** a Italia.
            ☐ **vaya**

5. Expresa deseos en el modo que convenga (segunda persona del singular):

a. ¡Ojalá (tener) suerte!   a. ....
b. ¡Que (pasarlo) bien!   b. ....
c. ¡Que (descansar)!   c. ....
d. ¡Que (mejorarte)!   d. ....
e. ¡Ojalá (aprobar)!   e. ....

6. Corrige los errores que encuentres:

a. Es posible que nos mudamos de casa.
a. ....

b. ¿Es cierto que dimita ese Ministro?
b. ....

c. Siento que no podéis quedaros más tiempo.
c. ....

d. Le ruego que me disculpa.
d. ....

e. Es preciso que lo terminan hoy.
e. ....

7. Transforma según el modelo:

> Ej.: Cuando **salgo** del trabajo, **paso** a buscarte. ⟹ Cuando **salga** del trabajo, **pasaré** a buscarte.

a. Cuando lo veo, se lo digo.   a. ....
b. En cuanto se van, salimos.   b. ....
c. Aunque vive aquí, nos vemos poco.   c. ....
d. Apenas llega, se acuesta.   d. ....
e. Como no lo haces, no sales.   e. ....

8. **Elige entre indicativo o subjuntivo. Subraya la forma correcta:**

a. He llamado al hotel para que nos **reservan** / **reserven** habitación.
b. No me gusta que **llegues** / **llegas** tan tarde.
c. Siempre que me **vea** / **ve**, me saluda.
d. ¿Quieres que **suba** / **subo** la calefacción?
e. Creo que **viva** / **vive** en el extranjero.

9. **Continúa las series con dos ejemplos más en cada una de ellas:**

a. Dudo que, no creo que, ...
b. Es seguro que, es cierto que, ...
c. Es probable que, es lógico que, ...
d. Me gusta que, lamento que, ...
e. Es necesario que, es menester que, ...

10. **Di si las series del ejercicio 9 exigen el empleo del modo indicativo o el del subjuntivo:**

a. ....
b. ....
c. ....
d. ....
e. ....

Criterios de uso indicativo/subjuntivo en algunos casos

1. Completa las frases poniendo los verbos que van entre paréntesis en indicativo o subjuntivo:

    a. Parece que ellos (irse) ....

    b. Está claro que Juan no (atreverse) ....

    c. Ocurre que (haber) .... huelga de trenes.

    d. Está demostrado que eso no (funcionar) ....

    e. Es seguro que el museo (estar) .... abierto ahora.

2. Mismo ejercicio que el anterior, pero ahora las frases van introducidas por expresiones diferentes:

    a. Es posible que ellos (irse) ....

    b. Es lógico que Juan no (atreverse) ....

    c. Es injusto que (haber) .... huelga de trenes.

    d. Es probable que eso no (funcionar) ....

    e. Es natural que el museo (estar) .... abierto ahora.

3. Subraya el modo adecuado:

    a. Es mejor que **vamos** / **vayamos** juntos.

    b. Es lógico que no **está** / **esté** de acuerdo.

    c. Está claro que no **quiere** / **quiera** ayudarnos.

    d. Sucede que **hayan** / **han** cambiado de opinión.

    e. Es posible que **consigue** / **consiga** ese trabajo.

4. Transforma en oraciones concesivas con Aunque en indicativo o subjuntivo:

> Ej. : Me ve. No me saluda. ➠ **Aunque me ve**, no me saluda.
> Me verá. No me saludará. ➠ **Aunque me vea**, no me saludará.

    a. Sonará el teléfono. No contestaré.

    a. ....

    b. Me lo pide. No se lo doy.

    b. ....

    c. Se lo preguntaré. No me lo dirá.

    c. ....

    d. No ve bien. No se pone las gafas.

    d. ....

    e. No estudia mucho. Siempre aprueba.

    e. ....

5. **Sustituye Si por Cuando en las siguientes oraciones:**

> Ej.: Iremos a la playa **si encontramos** casa. ➡ Iremos a la playa **cuando encontremos** casa.

a. Te compraré el vestido si lo han rebajado.
a. ....

b. Le escribiré si él me escribe a mí.
b. ....

c. Firmaré si es necesario.
c. ....

d. Los cogerás si están maduros.
d. ....

e. Te ayudaré si lo necesitas.
e. ....

6. **Transforma las frases del ejercicio anterior según el modelo:**

> Ej.: Iremos a la playa **cuando encontremos** casa. ➡ **Como no encontremos** casa, **no vamos** a la playa.

a. ....
b. ....
c. ....
d. ....
e. ....

7. **Transforma las siguientes frases en afirmaciones introducidas por Como:**

> Ej.: No me invitan, no voy. ➡ **Como me invitan**, iré.

a. No lo has hecho, no te vuelvo a creer.
a. ....

b. No se lo has dicho, no protesta.
b. ....

c. No me interesa, no me quedo.
c. ....

d. No me gusta, no me lo compro.
d. ....

e. No han estudiado, no aprueban.
e. ....

8. Señala la respuesta correcta:

a. Cuando ☐ **termina** la carrera, hará un viaje de estudios.
☐ **termine**

b. Cuando ☐ **vea** a su profesor, se pone nervioso.
☐ **ve**

c. Cuando se ☐ **levanta**, está de mal humor.
☐ **levante**

d. Cuando ☐ **llega** la primavera, arreglaré la bici.
☐ **llegue**

e. Cuando ☐ **estudies** más, tendrás lo que pides.
☐ **estudias**

9. Enlaza los elementos de las dos columnas para completar las frases:

a. Si se porta bien   1. *ayúdennos.*
b. Si lloraba   2. *les invitamos.*
c. Si pueden   3. *le haremos un regalo.*
d. Si están   4. *no se oye bien.*
e. Si bajas el volumen   5. *nos despertaba.*

10. Expresa ahora las condiciones del ejercicio 9 con De + Infinitivo:

> Ej.: Si le regalo algo, será un libro. ➡ **De regalarle** algo, **sería** un libro.

a. ....
b. ....
c. ....
d. ....
e. ....

25 Modo imperativo

1. Di la segunda persona singular del imperativo de los siguientes verbos:

a. Madrugar.   a. ....

b. Volver.   b. ....

c. Crecer.   c. ....

d. Vivir.   d. ....

e. Sentir.   e. ....

2. Di la segunda persona plural del imperativo de:

a. Cantar.   a. ....

b. Escribir.   b. ....

c. Encender.   c. ....

d. Limpiar.   d. ....

e. Poner.   e. ....

3. Pon los imperativos del ejercicio 1 en forma negativa:

a. ....

b. ....

c. ....

d. ....

e. ....

4. Pon en imperativo (tercera persona del singular) los verbos señalados:

ENTRENARSE ANTES DE MONTAR EN BICICLETA

1. **Ponerse** de pie, **abrir** las piernas y **extender** los brazos. **Llevar** los codos a la altura del pecho. **Repetir** 20 veces.

2. **Inclinar** el tronco hacia un lado, con los brazos extendidos y **tirar** con una mano de la otra. **Mantener** la postura durante 10 segundos y **cambiar** de lado. **Hacer** 5 repeticiones todos los días.

....

....

....

....

....

....

....

....

5. Completa los siguientes imperativos:

Lavarse	Creerse	Vestirse
....	....	Vístete
Lávese	....	Vístase
....	Creámonos	....
....	....	....
Lávense	Créanse	....

6. Ahora conjuga estos mismos imperativos en forma negativa:

Lavarse	Creerse	Vestirse
....	....	....
....	....	....
....	....	....
....	....	....
....	....	....

7. Pon en imperativo:

> Ej.: Le he dicho que se espere. ➡ **¡Espérese!**

a. Te he dicho que te calles.
b. Os he dicho que vengáis.
c. A los chicos les he dicho que se vayan.
d. A Vd. le he dicho que se siente.
e. El director ha dicho que salgamos.

a. ....
b. ....
c. ....
d. ....
e. ....

8. Pon en imperativo negativo:

> Ej.: Les ordeno que no se muevan. ➡ **¡No se muevan!**

a. Te pido que no se lo digas.
b. Le suplico que no entre.
c. A Vds. les aconsejan que no lo hagan.
d. Os mando que no volváis allí.
e. El médico dice que no hablemos alto.

a. ....
b. ....
c. ....
d. ....
e. ....

9. Transforma en afirmativos los imperativos negativos del ejercicio anterior:

a. ....
b. ....
c. ....
d. ....
e. ....

10_ Transforma según el modelo:

> Ej.: ¿Quieres hacerme ese favor? ➠ **Hazme** ese favor.

a. ¿Podéis venir pronto?

b. ¿Puedes traer el pan?

c. ¿Quieren saberlo?

d. ¿Desea enterarse?

e. ¿Quieres ir a verla?

a. ....

b. ....

c. ....

d. ....

e. ....

26 Concordancia de los tiempos

1. **Transforma la siguiente frase poniendo el verbo en el tiempo adecuado:**

" Pienso que está loco por mí."

a. Pensaba que ....

b. Pensé que ....

c. Pensaré que ....

d. Había pensado que ....

e. Pensaría que ....

2. **Pon en pasado:**

Cuando tú empiezas a estudiar en la Universidad, yo ya trabajo. Tu familia tiene dinero. A la mía le debo ayudar yo. Tú consigues un buen puesto de trabajo. Yo sigo siendo camarero.

Cuando tú **empezaste** a ....

....

....

....

....

3. **Pon las siguientes frases en presente:**

a. Creía que te ibas a quedar.

a. ....

b. Leí hasta que me entró sueño.

b. ....

c. Había oído que cerraban ese restaurante.

c. ....

d. Le dije lo que pensaba.

d. ....

e. Iremos cuando podamos.

e. ....

4. **Señala la respuesta correcta:**

a. Digo que no le ☐ **hicieras** caso.
                   ☐ **hagas**

b. Pensará que le ☐ **estés** engañando.
                 ☐ **estás**

c. Afirmaron que no lo ☐ **sabrán**.
   ☐ **sabían**

d. Te he preparado la comida que más te ☐ **gusta**.
   ☐ **guste**

e. Llegaron cuando ☐ **estuvimos** comiendo.
   ☐ **estábamos**

5. **Enlaza los elementos de las dos columnas para completar las frases:**

a. Protesto porque
b. Nosotros entrábamos
c. Esperé a que
d. Necesito que
e. Te he traído

1. *llegara el último tren.*
2. *me prestes el coche.*
3. *es injusto.*
4. *lo que me habías encargado.*
5. *cuando ellos salían.*

6. **Ahora transfórmalas poniendo en pasado las que estén en presente y viceversa:**

a. ....
b. ....
c. ....
d. ....
e. ....

7. **Conjuga los verbos que están entre paréntesis en el tiempo adecuado:**

a. Me preocupa que él (ser) .... tan testarudo.
b. Todo el mundo dice que el alcalde (pensar) .... dimitir.
c. Es preciso que todos los niños (llevar) .... su entrada.
d. Pienso que tú (deber) .... callarte.
e. Querrá que nosotros (ir) .... a cenar con ellos.

8. **Mismo ejercicio que el anterior:**

a. Me preocupaba que él (ser) .... tan testarudo.
b. Todo el mundo dijo que el alcalde (pensar) .... dimitir.
c. Era preciso que todos los niños (llevar) .... su entrada.
d. Pensé que tú (deber) .... callarte.
e. Querría que nosotros (ir) .... a cenar con ellos.

9. **Subraya la forma verbal adecuada:**

a. He soñado que **estaba / estoy** en la playa.
b. Me prometiste que **vendrás / vendrías**.
c. Te llamaré si **habrá / hay** alguna novedad.
d. Les gusta que **estemos / estamos** con ellos.
e. ¿Te has enterado de lo que **pase / ha pasado**?

10. **Completa las frases eligiendo entre los verbos dados:**

Estaban	Estuviera	Diré	Han separado	Acompañemos

a. No se atrevería a decirlo si .... su jefe delante.

b. ¿Quieren que les .... ?

c. No nos vieron porque .... distraídos.

d. Lo preguntaré y te lo ....

e. Se comenta que los Martínez se ....

*E*l infinitivo. El participio. El gerundio

1. **Completa las frases con la preposición adecuada:**

a. Le expulsaron del colegio ...... llegar siempre tarde.
b. ...... pasar por su casa, lo vi todo apagado.
c. ...... ir allí, sería este verano.
d. Te has perdido una fiesta ...... no querer salir con nosotros.
e. Se lo diré ...... acabar la clase.

2. **Expresa lo mismo eligiendo la perífrasis de infinitivo adecuada entre las dadas:**

Ir a + infinitivo   Deber + infinitivo   Acabar de + infinitivo
Volver a + infinitivo   Dejar de + infinitivo   Tener que + infinitivo
---

> Ej.: Es preciso que tengan hoy los informes. ➡ **Deben tener** hoy los informes.

a. En seguida sabré lo que pasa.
a. ....

b. Se ha ido hace un momento.
b. ....

c. Le veré otra vez mañana.
c. ....

d. No es menester que pagues al contado.
d. ....

e. Ya no llueve.
e. ....

3. **Corrige los errores de cada frase:**

a. Hemos bastante tardado en llegar.
a. ....

b. Nos han puestos calefacción eléctrica.
b. ....

c. Las flores se han secadas.
c. ....

d. La alumna fue convocado por el director.
d. ....

e. Venden ropa usando.
e. ....

4. **Elige una de las siguientes perífrasis (Andar, Dejar, Estar, Llevar + participio) para formar las frases:**

> Ej.: (Recoger-yo) 20 alfileres. ➡ **Llevo recogidos** 20 alfileres.

a. (Ver-yo) 3 películas en una semana.

a. ....

b. Anoche, mi hijo (preocuparme).

b. ....

c. ¿Vosotros sólo (leer) 5 páginas del libro?

c. ....

d. Mi coche ahora (averiarse).

d. ....

e. Últimamente (callar-tú).

e. ....

5. **Pon en gerundio las oraciones señaladas:**

> Ej.: **Si gastas** tanto ahora, no llegarás a fin de mes. ➡ **Gastando** tanto ahora, no llegarás a fin de mes.

a. **Si le hablas** así, nunca te perdonará.

a. ....

b. **Si abres** la ventana, se oye más el ruido.

b. ....

c. **Si lo estiras** tanto, se romperá.

c. ....

d. **Si juegan** a la lotería, a lo mejor ganan.

d. ....

e. **Si arreglan** el coche, podremos ir a la playa.

e. ....

6. **Elige entre Estar + gerundio o Llevar + gerundio para transformar las siguientes frases (algunas admiten las dos perífrasis):**

> Ej.: Hace un año que escribe ese libro.
> ➡ Lleva un año escribiendo ese libro.
> ➡ Hace un año que está escribiendo ese libro.

a. Cuando le conocí, **trabajaba** en un bar.

a. ....

b. No grites, que los niños **duermen**.

b. ....

c. Hace 4 meses que **salimos** juntos.

c. ....

d. Si **ve** la tele, no podremos hablar con ella.

d. ....

e. ¿Hace mucho tiempo que **viven** en esta casa?

e. ....

7. Señala la respuesta correcta:

a. Llegó muy tarde, ☐ **agotar** de trabajar.
                ☐ **agotando**
                ☐ **agotado**

b. ☐ **Corrido** tanto, puedes tener un accidente.
    ☐ **Corriendo**
    ☐ **Correr**

c. ☐ **Faltar** a clase tiene sus inconvenientes.
    ☐ **Faltando**
    ☐ **Faltado**

d. Las ruedas están ☐ **gastando**.
                 ☐ **gastadas**
                 ☐ **gastar**

e. ☐ **Al visto**, se escondió.
    ☐ **Al viéndome**
    ☐ **Al verme**

8. Completa las frases eligiendo entre las formas del cuadro:

Prepararse	Prepararnos	Preparada	Preparando	Preparadas

a. Mañana debemos .... muy temprano.
b. Lleva dos días .... el examen.
c. Llevan .... cinco lecciones.
d. Acabarán de .... dentro de poco.
e. La cena está ....

9. Subraya las perífrasis verbales que encuentres en el texto:

a. Aún no estaban preparados cuando llegamos.
b. Sabía que lo ibas a decir.
c. Estaba buscando un número en la guía.
d. Javier debía hacerme una copia de la llave.
e. Tenemos que aclarar la situación.

10. ¿Qué indican las perífrasis que has encontrado? Escríbelas junto a su correspondiente significado:

a. Obligación y necesidad: ....
b. Obligación: ....
c. Futuro inmediato: ....
d. Acción realizada: ....
e. Desarrollo de la acción: ....

30 El adverbio

1. Da 4 ejemplos más del tipo de adverbios citados:

a. Adverbios de lugar: donde, ...
b. Adverbios de tiempo: ahora, ...
c. Adverbios de cantidad: muy, ...
d. Adverbios de modo: bien, ...
e. Adverbios de duda: quizá, ...

2. Corrige los errores de cada frase:

a. Acabarán dentro poco.
a. ....

b. Yo voy atrás de usted.
b. ....

c. Ha escondido la llave debajo la alfombra.
c. ....

d. ¿No has terminado aun?
d. ....

e. ¡Desde después que no!
e. ....

3. Di lo contrario de:

a. Antes.   a. ....   e. Más.   e. ....
b. Siempre.   b. ....   f. Bien.   f. ....
c. Todo.   c. ....   g. Fuera.   g. ....
d. Mucho.   d. ....   h. Cerca.   h. ....

4. Enlaza los términos que puedan ser equivalentes:

a. Tal vez.   1. *Jamás.*
b. Sólo.   2. *Después.*
c. De verdad.   3. *A lo mejor.*
d. Nunca.   4. *Sinceramente.*
e. Luego.   5. *Solamente.*

5. Completa las frases con Aquí, Ahí o Allí:

a. Este de .... es para mí.
b. ¿Conocéis a aquel señor de ....?
c. ¡Dejad esos libros ....!
d. ¿Qué tal el restaurante ese de .... al lado?
e. Aquellas casas que se ven .... son las de mi barrio.

6. Elige entre Abajo o Debajo para completar las frases:

a. Ponte la chaqueta y .... la blusa.

b. Mis hermanos están ...., en casa de la vecina.

c. ¿Lo pongo .... o arriba?

d. No cuelgues el cuadro tan ....

e. Abrió el paraguas y me puse ....

7. Rellena los huecos con el adverbio de tiempo adecuado:

Todavía	Siempre	Ahora	Primero	Nunca

a. ¿Qué vas a hacer esta tarde?

...................., voy a terminar los deberes.

b. ¿.................... no ha terminado la reunión?

c. ¿Qué estará haciendo?

.... estará trabajando.

d. .... volveré a quedar con él. Me aburre.

e. ¿Por qué te extraña su comportamiento? .... ha sido así.

8. ¿Muy o Mucho?:

a. Me gusta .... tu casa.

b. Salen .... los fines de semana.

c. Pablo es .... introvertido.

d. Está .... cambiado.

e. Nos vamos, que ya es .... tarde.

9. Transforma los siguientes adjetivos en adverbios en -mente:

a. Rápido.   a. ....

b. Sencillo.   b. ....

c. Cómodo.   c. ....

d. Tonto.   d. ....

e. Feliz.   e. ....

10. ¿También o Tampoco? Elige uno de los dos adverbios para completar las frases:

a. Luis no me ha llamado. Yo .... le llamaré.

b. Están haciendo un cursillo de natación. ¿Quieres hacerlo tú ....?

c. Si tú no vas, yo .... voy.

d. A mí .... me encantan las películas de aventuras, como a ti.

e. ¿Y porque él lo haga lo tenéis que hacer .... vosotros?

31 La preposición

1. Completa las frases con las preposiciones adecuadas:

a. Hoy estamos .... 14 .... diciembre .... 1995.

b. Estamos .... invierno.

c. Vamos .... abrigo y guantes .... lana.

d. .... el invierno y el verano, está la primavera.

e. No he visto .... Lucía .... el invierno.

2. Haz todas las frases posibles con los elementos dados:

a. Salen (a/de)
b. Vuelve (a/de)
c. Van (a/de)
d. He visto (a)
e. Este vaso no es (de)

1. *tu primo.*
2. *cristal.*
3. *las 7.*
4. *casa de Inés.*
5. *tu padre.*

3. Completa las frases con las preposiciones del cuadro:

Con	Para	De	Por	Sin

a. Lo hizo .... querer.

b. Nos quedaremos unos días más .... vosotros.

c. Este autobús no pasa .... el centro.

d. Las flores son .... ti.

e. Ese es el disco .... mi hermano.

4. Ordena los elementos dados para formar frases:

a. ¿ Dónde / al / va / por / centro / se ?

a. ....

b. Final / calle / recto / hasta / el / de / siga / la.

b. ....

c. Y / la / la / allí / derecha / es / desde / primera / a.

c. ....

d. ¿Hay / aquí / cabina / cerca / por / alguna?

d. ....

e. Una / sí / la / en / esquina / hay.

e. ....

5. Señala la respuesta correcta:

a. Iremos a Asturias ☐ **con** coche.

                     ☐ **en**

                     ☐ **por**

b. Allí no se puede llegar ☐ **desde** carretera.

                           ☐ **de**

                           ☐ **por**

c. Viajaremos ☐ **en** tren.
               ☐ **con**
               ☐ **por**

d. ¿Venís ☐ **en** autopista?
           ☐ **por**
           ☐ **a**

e. Siempre va al trabajo ☐ **por** pie.
                       ☐ **con**
                       ☐ **a**

6. Pon la preposición A en las frases que la necesiten:

a. ¿ .... qué distancia estamos de Pontevedra?

b. ¿ .... qué día es hoy?

c. Le he comprado un regalo .... Cristina.

d. Hemos visto .... muchas ciudades bonitas.

e. ¿Habéis acostado ya .... los niños?

7. Subraya la preposición correcta:

a. Trabajo **en / de** secretaria.

b. Este fin de semana me voy **al / hacia** el campo.

c. Eso es difícil **de / para** hacer.

d. Debes elegir **en / entre** los dos.

e. Viaja siempre **por / en** tren.

f. Lo buscamos **por / para** todas partes.

8. Di lo que indican las preposiciones en cada una de las siguientes frases:

a. Lo compró **por** 500 pesetas.	a. ....
b. Nos quedamos allí **hasta** las 11.	b. ....
c. Escribe siempre **con** pluma.	c. ....
d. Mauro es **de** Italia.	d. ....
e. Llegará **hacia** las 9.	e. ....

9. Enlaza los elementos de las dos columnas para formar frases:

a. La clase termina	1. *según mi padre.*
b. Eso no es así,	2. *de agua.*
c. Siempre viaja	3. *hasta las dos.*
d. Quiero un poco	4. *hacia las cuatro.*
e. Me quedaré estudiando	5. *con mucho equipaje.*

10. Rellena los huecos con las preposiciones que exijan los verbos:

a. Mi habitación da ...... la calle.

b. Se ha echado ...... la cama porque no se encuentra bien.

c. He estado pensando ...... lo que me dijiste ayer.

d. Se preocupa mucho ...... sus amigos.

e. Sal ya del agua, que estás temblando ...... frío.

32-33 La conjunción y la interjección

1. Elige entre las conjunciones dadas para completar las frases (¡ojo!, algunas pueden cambiar de forma):

Ni	Y	Sino	O	Ni	Pero

a. Te hablo, ... parece que no me escuchas.
b. Tendrá siete .... ocho años.
c. Es simpático .... inteligente.
d. .... tengo tiempo .... me apetece hacerlo.
e. La exposición no se inaugura hoy, ... mañana.

2. Elige entre estas conjunciones y locuciones conjuntivas para sustituir a las señaladas en las frases:

Para que	Cada vez que	Por consiguiente	Porque	A pesar de que

a. **Siempre que** viene, me lo dice.
a. ....

b. Está desanimado **debido a que** ha suspendido.
b. ....

c. No ha sonado el despertador, **así es que** no me he despertado.
c. ....

d. **Aunque** se levante a tiempo, no irá.
d. ....

e. Le mandamos a Inglaterra **a fin de que** aprenda inglés.
e. ....

3. Di lo que expresan los nexos del ejercicio 2:

a. ....
b. ....
c. ....
d. ....
e. ....

4. Enlaza los nexos del mismo tipo:

a. Porque.
b. Por lo tanto.
c. Si.
d. Para que.
e. Por más que.

1. *De ahí que.*
2. *Con objeto de que.*
3. *A pesar de que.*
4. *Ya que.*
5. *A condición de que.*

5. **Trata de encontrar el nexo adecuado para completar las frases:**

a. Desde que viene .... se va, no para de hablar.
b. Parece que sabe menos del asunto .... nosotros.
c. .... gasta mucho dinero, no es suyo.
d. Se acostarán .... hayan cenado.
e. Cuando lleguen, debe estar todo listo: pon la mesa .... vengan.

6. **Completa con Que (conj.) / Qué (interr. o excl.):**

a. ¿ .... dices?
b. Digo .... vengas.
c. ¿ .... tal?
d. ¡ .... susto!
e. ¡ .... tengas suerte!

7. **¿Porque / Por qué / Porqué?:**

a. No hubo clase .... el profesor estaba enfermo.
b. ¿ .... insistes tanto?
c. ¿ Sabes el .... de la cuestión?
d. No puede hacer gimnasia .... tiene un esguince.
e. ¿ .... no puedo ir con ellos?

8. **Trata de encontrar la interjección adecuada para completar las frases:**

Socorro	Bravo	Ay	Basta	Vaya

a. ¡ .... , qué dolor!
b. Ya estoy harto de gritos, ¡ ....!
c. ¡ .... !, ¿tú por aquí?
d. ¡ Qué bien canta! ¡ .... !
e. ¡ ...., ayúdenme!

9. **Cita 5 interjecciones que puedan expresar asombro, sorpresa:**

a. ....
b. ....
c. ....
d. ....
e. ....

10. **Di lo que expresan las interjecciones señaladas en las siguientes frases:**

a. Decía que si no te importa que esta noche lleve a mi hermano...
   – ¡Hombre!, cómo me va a importar...

b. La mujer entra en la habitación con la bandeja del desayuno...
   – ¡**Huy**,... ! ¡Tiene usted un flemón!

c. Tómate una copa, **anda**.

d. ¡**Ah!**, pues no es mala idea...

a. ....
b. ....
c. ....
d. ....

34 La oración simple

1. **Enlaza las siguientes oraciones simples con el tipo al que pertenezcan:**

a. No quiere venir.	1. *Desiderativa.*
b. Ven con nosotros.	2. *Negativa.*
c. ¡Qué paisajes más bonitos!	3. *Afirmativa.*
d. ¿Qué hora es?	4. *Imperativa.*
e. Duerme demasiado.	5. *Exclamativa.*
f. ¡Que tengas suerte!	6. *Interrogativa.*

2. **Formula estas mismas oraciones negativas suprimiendo la negación No:**

a. No quiere salir nunca.   a. ....

b. No les interesa nada.   b. ....

c. No los quiere nadie.   c. ....

d. No ha venido ninguno de ellos. d. ....

e. No he ido allí en mi vida.   e. ....

3. **Completa las siguientes frases interrogativas, preguntando por:**

a. La cantidad: a. ¿ .... vale ese coche?

b. La manera: b. ¿ .... se va al centro?

c. El lugar: c. ¿ .... puede estar?

d. El tiempo: d. ¿ .... iremos a la piscina?

e. La causa: e. ¿ .... llegas tarde?

4. **Formula la pregunta, tuteando:**

a. Soy Pepe.   a. ....

b. Soy de León.   b. ....

c. Soy ingeniero.   c. ....

d. Vivo en Barcelona. d. ....

e. Tengo 40 años.   e. ....

5. **Transforma en exclamativas las siguientes oraciones:**

> Ej.: Está muy contenta. ➡ ¡Qué contenta está!

a. Son bastante caros.   a. ....

b. Trabajan muy poco.   b. ....

c. Comes muy mal.   c. ....

d. Tiene muy buen aspecto. d. ....

e. Es muy temprano.   e. ....

6. Transforma según el modelo:

> Ej.: Te callas ya. ➡ Cállate ya.

a. Te presentas al jefe.   a. ....
b. Os ponéis el abrigo en seguida. b. ....
c. Estudiáis durante el fin de semana. c. ....
d. Pagas la factura.   d. ....
e. Entráis por la puerta de atrás. e. ....

7. Expresa la misma orden de otras 4 formas:

¡Acostaos!

a. ....
b. ....
c. ....
d. ....

8. Transforma en prohibiciones las siguientes órdenes:

a. Sal de aquí.   a. ....
b. Dejad eso ahí.   b. ....
c. Ve a verle.   c. ....
d. Quédate en casa.   d. ....
e. Coge dinero.   e. ....

9. Transforma según el modelo:

> Ej.: ¡Baila! ➡ ¡A bailar!

a. ¡Jugad!   a. ....
b. ¡Viajad!   b. ....
c. ¡Corre!   c. ....
d. ¡Dormid!   d. ....
e. ¡Trabaja!   e. ....

10. Expresa deseos, conjugando el verbo en presente de subjuntivo:

> Ej.: ¡Que (vosotros-tener) **tengáis** buen viaje!

a. ¡Que (tú-divertirte) .... !
b. ¡Que (vosotros-pasarlo bien) .... !
c. ¡Que (vosotros-aprobar) .... !
d. ¡Que (tú-encontrar trabajo) .... !
e. ¡Que (tú-mejorarse) .... !

35 *L*a oración compuesta

1. **Pon todas las comas que falten en las siguientes oraciones yuxtapuestas:**

  a. No lo sé no lo quiero saber no me interesa en absoluto.
  b. Siéntese ahí tranquilícese escúcheme atentamente.
  c. Es verde por fuera rojo por dentro tiene pepitas negras ¿qué es?
  d. Necesita Vd. salir relacionarse con gente distraerse...
  e. Se pasa el día viendo la tele leyendo el periódico escuchando la radio...

2. **Completa las frases con las siguientes conjunciones:**

Pero   Sino   E   Ni   O

  a. ¿Sales .... entras?
  b. Entro, ... en seguida me voy.
  c. Eso no me pasó a mí, ... a él.
  d. Lo afirmó .... insistió en ello.
  e. Ni me llama .... me escribe.

3. **Enlaza los elementos de las dos columnas para formar frases:**

a. Me pregunto	1. *qué decir.*
b. Ya estoy seguro	2. *si lo sabrá.*
c. No sabe	3. *que te suspenderán.*
d. Entonces, aún no sabíamos	4. *si irnos o quedarnos.*
e. Es evidente	5. *de que me admiten.*

4. **Transforma según el modelo:**

> Ej.: Allí venden coches de segunda mano, pero son muy caros. ➠ Los coches de segunda mano **que** venden allí son muy caros.

  a. Me trajo un regalo, pero no me gustó.
  a. ....

  b. Vimos la película, pero se oía fatal.
  b. ....

  c. Nos tomamos el café, pero estaba frío.
  c. ....

  d. Había otros alumnos, pero no eran simpáticos.
  d. ....

  e. Habla alemán, pero no se le entiende muy bien.
  e. ....

5. Transforma en oraciones comparativas:

a. El piso es caro. La casa, más.

a. ....

b. Los Jiménez son muy simpáticos. Los Muñoz, menos.

b. ....

c. España me gusta. Portugal también.

c. ....

d. En verano trasnocho mucho. En invierno no tanto.

d. ....

e. Adela es muy presumida. Victoria, menos.

e. ....

6. Completa las frases con Tan (tanto) ... como o Tanto que:

a. Ha madrugado .... está muerto de sueño.
b. Actualmente, no tenemos .... problemas .... hace unos años.
c. No es .... complicado .... parece.
d. Éramos .... en la fiesta .... no podíamos ni movernos.
e. Trabaja .... casi nunca está con su familia.

7. Transforma las siguientes oraciones causales según el modelo:

> Ej.: **Como** no tiene dinero, no va de vacaciones. ➡ No va de vacaciones **porque** no tiene dinero.

a. Como mañana tiene un examen, esta noche no sale.

a. ....

b. Como nos vamos a levantar temprano, nos acostamos ya.

b. ....

c. Como quiero enterarme de las noticias, pongo la radio.

c. ....

d. Como pensaba ir en coche, no sacó billete.

d. ....

e. Como no lo sé, no te lo puedo decir.

e. ....

8. **Elige entre las partículas dadas para completar las frases:**

Cuando	Aunque	Porque	Por eso	De manera que

a. .... es simpática, no me cae bien.

b. Habla .... no se le entiende.

c. .... va de viaje, siempre me trae algún regalo.

d. Es muy guapa, ... tiene tantos pretendientes.

e. Estudio inglés .... pienso ir a Estados Unidos.

9. **Transforma en oraciones temporales con Mientras:**

> Ej.: Vosotros coméis y él no para de hablar. ⟹ **Mientras** vosotros coméis, él no para de hablar.

a. Ellos estudian y vosotros oís música.

a. ....

b. Tú vas a clase y yo voy de compras.

b. ....

c. Ellos preparan el equipaje y nosotros limpiamos el coche.

c. ....

d. Él ve la tele y nosotros jugamos a las cartas.

d. ....

e. Ustedes mandan un fax y yo llamo por teléfono.

e. ....

10. **Inventa tú ahora oraciones utilizando las siguientes partículas:**

a. Cuando: ....

b. De manera que: ....

c. Por eso: ....

d. Porque: ....

e. Menos que: ....

Ejercicios comunicativos

1 **U**sos sociales de la lengua

1 **Busca el error de comunicación que hay en cada diálogo y corrígelo:**

a. ¿Eres italiano?
   No, soy Pepe.
b. ¡Bienvenido!
   ¡Claro!
c. ¡Salud! *(en un brindis)*
   ¡Adiós!
d. ¡Hola!, ¿qué tal?
   ¡Igualmente!
e. ¿Puede ayudarme?
   No pasa nada.

a. ....

b. ....

c. ....

d. ....

e. ....

2 **Qué le dices a alguien cuando:**

a. Es su cumpleaños.
b. Está comiendo.
c. Se va a ir de viaje.
d. Se acaba de casar.
e. Acabas de conocerle.

a. ....

b. ....

c. ....

d. ....

e. ....

3 **Acaban de presentarte a tu nuevo profesor de francés, con el que empezarás las clases el próximo lunes:**

a. Ahora **salúdale** tú, ...

b. **preséntate** ....

c. y **despídete** de él. ....

4 **Busca una expresión adecuada a cada respuesta:**

a. ....
b. ....
c. ....
d. ....
e. ....

a. *No es nada.*
b. *¡Adelante!*
c. *De nada.*
d. *Bien, ¿y tú?*
e. *Buenas tardes.*

5 **Completa el diálogo eligiendo las respuestas correctas:**

X-¿Qué te pasa?
Y-No estoy bien.
X-..
Y-..
X-..

a. *Perdona.*
b. *Por supuesto.*
c. *¡Que te mejores!*
d. *Gracias.*
e. *¡Hasta pronto!*

6 Ordena las palabras y escribe las expresiones que encuentres:

favor	días	hasta	te	encantado	por
buenos	diviertas	de	luego	conocerle	que

a. ....
b. ....
c. ....
d. ....
e. ....

7 Asocia cada pregunta con la respuesta adecuada:

a. ¿Está permitido entrar?   1. *Fatal.*
b. ¿Qué tal?   2. *Nada, nada.*
c. ¿Puede hacerme un favor?   3. *Gracias.*
d. ¡Suerte!   4. *¡Claro que puedo!*
e. ¡Perdón!   5. *No, no está permitido.*

8 Subraya las expresiones que encuentres en el texto:

–... ¿Vas a salir ahora o trabajas por la tarde?
– Pues no sé. Pero podías decir "buenos días, ¿cómo estás?".
– Perdona, pero es que estoy muy liado...
– ...Pues adiós.

Ahora *clasifícalas* en:

Saludos	Disculpas	Despedidas
....	....	....
....	....	....
....	....	....

9 Da expresiones sinónimas de:

a. Perdone.   a. ....
b. Mucho gusto.   b. ....
c. ¡Feliz cumpleaños!   c. ....
d. ¿Cómo estás?   d. ....
e. ¡Buen viaje!   e. ....

10 Pon en orden el siguiente diálogo:

a. Sí, soy yo.   1. ....
b. ¡Ah, sí! Mucho gusto.   2. ....
c. ¿La señora Martín?   3. ....
d. Igualmente.   4. ....
e. Buenos días, soy Pilar López.   5. ....

2 **P**edir información

1 **Formula las preguntas adecuadas a las siguientes respuestas:**

a. Son las 4.
b. Los zapatos valen 10.000 pts.
c. Los García viven en Toledo.
d. Soy Rafael Espín.
e. Mi casa es aquélla.

a. ....
b. ....
c. ....
d. ....
e. ....

2 **Quieres ir en autobús a Barcelona. Pide información sobre:**

a. Si hay autobús para Barcelona.
b. El lugar de salida del autobús.
c. La hora de salida del autobús.
d. La duración del viaje.
e. El precio del billete.

a. ....
b. ....
c. ....
d. ....
e. ....

3 **Enlaza las preguntas con sus correspondientes respuestas:**

a. ¿Hay algún banco por aquí?
b. ¿Sabes quién es ésa?
c. ¿Cuál es tu dirección?
d. ¿Qué tiempo hace?
e. ¿Dónde dan los programas?

1. *No, no la conozco.*
2. *Bastante frío.*
3. *En la Oficina de Turismo.*
4. *Sí, en aquella plaza hay uno.*
5. *Calle Ramón y Cajal, 24*

4 **Completa el diálogo, eligiendo entre** *cómo, cuándo, cuánto, dónde* **y** *qué*:

a. ¡Hola, Jaime!, ¿................ estás?
b. Bien, ¿y tú, ... tal?
a. ¿ .... vives ahora?
b. En León. ¿................ tiempo te quedas aquí?
a. Sólo cuatro días. ¿................ cenamos juntos, mañana?

5 **Formula todas las preguntas necesarias para obtener la siguiente presentación:**

— Me llamo Ramón Ibáñez.
— Soy de Cáceres.
— Tengo 42 años.
— Trabajo en la Universidad.
— Soy profesor.

a. ....
....
b. ....
....
c. ....
....
d. ....
....
e. ....
....

6 Señala la respuesta correcta:

a. ¿ ☐ A qué es ese zumo?
   ☐ De
   ☐ Con

d. ¿ ☐ Cuándo empiezan las clases?
   ☐ Cuánto
   ☐ En qué

b. ¿ ☐ Qué vive ahí?
   ☐ Dónde
   ☐ Quién

e. ¿En ☐ cuál hotel has estado?
   ☐ qué
   ☐ quién

c. ¿Durante ☐ cuánto tiempo estuviste estudiando
   ☐ cuándo
   ☐ cuál

7 Enlaza las afirmaciones con las preguntas de idéntico significado:

a. No sé su nombre.
b. Ignoro su dirección.
c. Dígame el precio.
d. No sé a qué hora viene.
e. Necesito saber tu teléfono.

1. ¿Cuándo viene?
2. ¿Cómo se llama?
3. ¿Cuál es tu número de teléfono?
4. ¿Cuánto vale?
5. ¿Dónde vive?

8 En un restaurante. Completa el diálogo con el camarero eligiendo entre las siguientes preguntas:

¿Cuántos menús?   ¿Cómo quieren la carne?   ¿Qué van a comer?
¿Quién ha pedido el agua?   ¿Y qué les pongo de beber?

a. ....
b. ....
c. ....
d. ....
e. ....

a. El menú del día.
b. Tres, por favor.
c. Un agua mineral y dos vinos.
d. Bastante hecha, si puede ser.
e. Yo. Gracias.

9 Esta mañana, Luisa le ha dejado una nota a su marido diciéndole:

"Paco, hoy no vuelvo a comer porque voy con mi jefe a Segovia, en el tren de las 14.30. Regreso esta noche. Cenaré en casa. Besos. Luisa"

Ahora formula tú todas las preguntas cuya respuesta te ha dado Luisa:

Ej.: ¿Por qué no vuelve Luisa a comer?

a. ....
b. ....
c. ....

d. ....
e. ....

10 Completa las siguientes preguntas con la palabra interrogativa adecuada:

a. ¿A .... hora te levantas?
b. ¿.................... desayunas?
c. ¿.................... vas al trabajo?
d. ¿.................... horas trabajas?
e. ¿.................... es tu trabajo?

a. Me levanto a las 7.
b. Café con tostadas.
c. En coche.
d. Ocho horas al día.
e. Soy secretaria.

3 Expresar gustos y opiniones

1 **Contesta afirmativa y negativamente a las siguientes preguntas:**

> Ej.: ¿Les gusta a tus amigos escuchar música?
> – Sí, a mis amigos les gusta escuchar música.
> – No, a mis amigos no les gusta escuchar música.

a. ¿Le gusta a tu padre pasear por el campo?
....

b. ¿Te gusta viajar?
....

c. ¿Os gusta a los estudiantes hacer ejercicios?
....

d. ¿Les gusta leer a tus hermanos?
....

e. ¿O prefieren hacer deporte?
....

2 **Completa las frases con *gusta* / *gustan*:**

a. No me .... los días lluviosos.

b. El café me .... mucho.

c. Esos pantalones no me .... nada.

d. Me .... ir al cine.

e. No me .... las personas egoístas.

3 **Enrique nos habla de sus gustos. Compártelos con él eligiendo entre las siguientes expresiones:**

A mí también   Yo también   A mí tampoco   Yo tampoco

> Ej.: *Enrique:* No me gusta nada ir de compras.
> *Tú: A mí tampoco.*

a. *Enrique:* Me gusta mucho montar en bicicleta.   *Tú:* ....

b. *Enrique:* Odio la nieve.   *Tú:* ....

c. *Enrique:* No soporto las discotecas.   *Tú:* ....

d. *Enrique:* No me gustan los ascensores.   *Tú:* ....

e. *Enrique:* Prefiero subir andando.   *Tú:* ....

4 **Opina sobre los siguientes temas, eligiendo entre los verbos *odiar* / *gustar* / *encantar*:**

> Ej.: La historia ➠ *Me encanta* la historia.

a. El fútbol.

b. Esquiar.

c. Los toros.

d. Las matemáticas.

e. El teatro.

a. ....

b. ....

c. ....

d. ....

e. ....

5 **Manifiesta gusto o disgusto ante lo siguiente:**

> Ej.: La película es un rollo. ➠ *No aguanto* la película porque es un rollo.

a. Este lugar es precioso.   a. ....
b. Ana es muy elegante.   b. ....
c. Es un chico muy antipático.   c. ....
d. Este barrio es muy ruidoso.   d. ....
e. Esa ropa es muy bonita.   e. ....

6 **Elige entre *estar de acuerdo* / *gustar* / *preferir* / *pensar* / *parecer* para completar las frases:**

a. Nunca .... con ellos.
b. ¿Qué .... del sistema de enseñanza de ese país?
c. ¿Te .... mejor que el nuestro?
d. No, ... el sistema que tenemos aquí.
e. Me .... más el nuestro.

7 **Enlaza las afirmaciones equivalentes:**

a. No estoy de acuerdo.   1. *Pienso que ...*
b. Me gusta mucho.   2. *Para mí ...*
c. No me gusta.   3. *Me encanta.*
d. Creo que...   4. *No me parece bien.*
e. En mi opinión ...   5. *Me disgusta.*

8 **Haz frases que expresen lo contrario:**

> Ej.: *Me encantan* los museos. ➠ *No aguanto* los museos.

a. Odio la música moderna.   a. ....
b. Estoy a favor de la huelga.   b. ....
c. Estás equivocado.   c. ....
d. No estoy de acuerdo.   d. ....
e. No cabe duda.   e. ....

9 **Ordena los elementos y forma frases correctas:**

a. Parece eso que bien está no me.   a. ....
b. ¿La prefieres, música la clásica qué o moderna?   b. ....
c. Mucho me bailar gusta , ¿a y ti?   c. ....
d. Acuerdo no de contigo estoy.   d. ....
e. Levantarme muy desagrada me temprano.   e. ....
f. ¿Opinión cuál tu es?   f. ....

10 **Trata de encontrar una expresión equivalente a las siguientes:**

> Ej.: *Me fastidia* salir ahora. ➠ *Me molesta* salir ahora.

a. *Me da igual.*   a. ....
b. *¡Claro!*   b. ....
c. *No llevas razón.*   c. ....
d. *Lo que más me gusta es* el teatro. d. ....
e. *Odio* ese tipo de sitios.   e. ....

4 **P**roponer y dar órdenes

1 Tus amigos no saben qué hacer esta noche. Propón tú algo. Utiliza una fórmula diferente para cada propuesta:

> Ej.: *¿Queréis* que vayamos al cine?

a. ....   d. ....

b. ....   e. ....

c. ....

2 Transforma esta receta de cocina poniendo las instrucciones en imperativo (tercera persona del singular):

ROSCÓN DE REYES

Ingredientes: 1 kilo de harina   Ralladura de naranja y de limón
               30 grs. de levadura   Agua de azahar
               6 huevos   250 grs. de azúcar
               5 grs. de sal   300 grs. de mantequilla

Modo de hacerlo: *Mezclar* la harina, la levadura y el agua. *Añadir* la ralladura de naranja y de limón. *Incorporar* los huevos y la sal y *batirlo* todo bien. *Echar* la mantequilla derretida poco a poco. *Amasar* a mano. *Envolver* con un paño húmedo y *dejar* 5 horas en el frigorífico. *Dar* forma de rosco a la masa y *meter* la sorpresa. *Adornar* con guindas y *cocer* en el horno a 120° durante 40 minutos.

> Ej.: *Mezclar* la harina, la levadura y el agua. ➡ *Mezcle* la harina, la levadura y el agua.

....

....

....

3 Convierte las obligaciones en órdenes, transformando las frases según el modelo:

> Ej.: *Hay que trabajar*. ➡ ¡A trabajar!

a. Ahora debéis dormir.   a. ....

b. Hace falta que ordenes tus papeles.   b. ....

c. Es necesario que preparemos la cena.   c. ....

d. Debéis bajar la música.   d. ....

e. Es obligatorio ponerse el cinturón.   e. ....

4 Transforma las frases empleando una expresión sinónima a la señalada:

> Ej.: *Hace falta* comprar pan. ➡ *Hay que* comprar pan.

a. *Tenemos que* ir a clase.   a. ....

b. Esta noche *debo* estudiar.   b. ....

c. *Hay que* regar las plantas.   c. ....

d. *Han de* firmar este documento.   d. ....

e. *No es necesario* reservar.   e. ....

5 Expresa la prohibición de 5 formas distintas:

> Ej.: *Prohibido* el paso.

a. .... d. ....

b. .... e. ....

c. ....

6 Clasifica las expresiones del diálogo en propuestas y obligaciones:

a. Si te parece bien, vamos a tomar algo.
b. No puedo, tengo que llamar por teléfono dentro de un rato.

a. ¿Y por qué no llamas fuera, desde una cabina?
b. Entonces debo ir al banco, porque no tengo dinero suelto.

a. ¿Qué te parece si te presto mi tarjeta?
b. ¡Estupendo!, hay que ir a tomar algo...

Propuestas: ....

....

Obligaciones: ....

....

7 Mira la agenda de Nicolás y di lo que tiene que hacer hoy, empleando las fórmulas *tener que* o *deber*:

10.00	Llamar al laboratorio.	a.	....
11.30	Ir al dentista.	b.	....
13.30	Recoger a los niños.	c.	....
14.30	Comer con Pedro.	d.	....
17.00	Llevar el coche al taller.	e.	....

8 Utilizando las mismas fórmulas de expresión de la obligación que en el ejercicio anterior, transforma según el modelo:

> Ej.: No son puntuales. ➡ *Tienen que* ser puntuales.

a. No estudia. a. ....

b. No comprenden. b. ....

c. No trabajas. c. ....

d. No te vas. d. ....

e. No sales. e. ....

9 Di si las siguientes cosas están permitidas o prohibidas:

> ⊔ Sí Ej.: a. Está permitido beber.

No b. ....   Sí d. ....

Sí c. ....   No e. ....

10 Relaciona los elementos de las dos columnas:

a. ¿Qué te parece si vamos al cine?   1. *Orden.*
b. ¡Te sientas y comes!   2. *Necesidad.*
c. No se puede entrar.   3. *Propuesta.*
d. Hemos de hacer un examen.   4. *Prohibición.*
e. Necesito salir un momento.   5. *Obligación.*

5 Expresión del futuro

1

Transforma según el modelo:

Ej.: Piensa buscar trabajo. ➡ *Buscará* trabajo.

a. *¿Tienen intención de quedarse* mucho tiempo? ....
b. *Queremos ir* a Roma. ....
c. *¿Estás decidido* a volver? ....
d. *¿Deseas tomar* algo más? ....
e. *Piensan subir* los precios. ....

2

Forma frases enlazando los elementos de las dos columnas:

a. Van   1. *conocer América.*
b. Quiero   2. *casa de José.*
c. El avión llegará   3. *en el hotel.*
d. Estaré en   4. *a salir esta noche.*
e. Esperaremos   5. *a las 4 en punto.*

3

Lee atentamente el diálogo entre Rosa y Pablo:

R.: ¿Qué vas a hacer este fin de semana?
P.: El sábado estudiaré y el domingo iré al cumpleaños de Antonio, ¿y tú?
R.: Tengo que quedarme en casa y cuidar de mi hermano pequeño, porque mis padres se van de viaje.
P.: ¡Qué pena! Entonces no podrás venir conmigo a la fiesta.
R.: ¿Por qué no estudiamos juntos el sábado? Así será menos aburrido.
P.: ¡Vale! Estaré en tu casa a las 10.

Ahora di si las siguientes afirmaciones son verdaderas o falsas:

	V	F
a. Este fin de semana, Rosa va a estudiar.		
b. Pablo va a conocer a los padres de Rosa.		
c. Rosa va a ir a una fiesta de cumpleaños.		
d. Pablo no va a ver a Rosa durante el fin de semana.		
e. Pablo y Rosa van a estudiar juntos.		

4

Utilizando el futuro próximo, di lo que vas a hacer tú en las próximas vacaciones:

....
....
....

5

Ahora contesta con arreglo a tus planes:

a. ¿Irás al mar?   a. ....
b. ¿Te quedarás en casa?   b. ....
c. ¿Viajarás por el extranjero?   c. ....
d. ¿Visitarás a tus amigos?   d. ....
e. ¿Harás deporte?   e. ....

6 Enlaza las frases de las dos columnas que tengan relación:

a. Tengo sueño.   1. *Voy a subir la calefacción.*
b. Hace frío.   2. *Voy a mirar el reloj.*
c. Están aburridos.   3. *Voy a ponerme las gafas.*
d. No sé qué hora será.   4. *Voy a dormir.*
e. No veo bien.   5. *Se van a ir pronto.*

7 Pon ahora las frases del ejercicio anterior en futuro:

> Ej.: Tengo un examen, *voy a estudiar.* ➡ Tengo un examen, *estudiaré.*

a. ....   a. ....
b. ....   b. ....
c. ....   c. ....
d. ....   d. ....
e. ....   e. ....

8 Mira el ejercicio 7 del capítulo 4 y emplea el futuro para decir lo que *hará* Nicolás:

a. A las 10, ...
b. ....
c. ....
d. ....
e. ....

9 Lee esta postal:

> Madrid, 10-2-94
>
> ¡Hola Ana!, ¿qué tal?
> Te escribo para decirte que llegaré mañana a las 10. ¿Podrás ir a recogerme a la estación? Después tendré que ir a la entrevista. Luego comeremos juntas y nos contaremos muchas cosas.
> ¡Hasta mañana!
>
> *Isabel*

Ahora transforma las frases que están en futuro poniéndolas en futuro próximo:

a. ....   d. ....
b. ....   e. ....
c. ....

10 Busca 6 futuros en esta sopa de letras y escríbelos:

U	N	C	N	A	R	E	G	O	C
A	E	O	H	C	E	V	O	S	P
U	V	M	E	R	D	O	N	I	J
P	R	E	E	H	O	Y	M	E	R
A	M	R	C	H	C	A	I	R	A
F	S	A	L	E	O	R	E	E	A
S	G	S	R	D	A	E	I	V	L
Z	R	E	B	A	S	A	O	L	I
T	E	I	E	B	L	R	M	O	T
L	E	D	H	O	R	T	B	V	E

1. ....
2. ....
3. ....
4. ....
5. ....
6. ....

6 El estilo indirecto

1 **En una academia, te dan la siguiente información sobre las clases de idiomas:**

a. Damos clases de todos los idiomas.

b. Tenemos todos los niveles.

c. Las clases duran dos horas.

d. Hay clase de lunes a viernes.

e. El número de alumnos está limitado a 12 por grupo.

¿Qué te dicen?:

a. ....

b. ....

c. ....

d. ....

e. ....

2 **Un amigo tuyo quiere saber lo que te dijeron en la academia. Díselo:**

a. Me dijeron que ....

b. Me dijeron que ....

c. Me dijeron que ....

d. Me dijeron que ....

e. Me dijeron que ....

3 **¿Qué dicen? ¿Qué preguntan?:**

a. *Enrique:* ¿Llevas hora?

....

b. *Pilar:* Voy cinco minutos adelantada.

....

c: *Alfredo:* ¿Dónde has conseguido eso?

....

d. *María:* ¿Qué hay de lo dicho?

....

e. *Vicente:* Ahora no puedo atenderle.

....

4 **¿Qué te aconsejan?:**

a. ¡No te quedes en casa!

....

b. ¡Ve a verlos!

....

c. ¡Descansa un poco!

....

d. ¡Cambia de aires!

....

e. ¡Tómatelo con calma!

....

5 Contesta a las preguntas introduciendo las repeticiones con *digo que*:

a. Se diría más bien "anonadado".
   –Perdone, no he entendido la palabra, ¿puede repetir?
   ....

b. Estaría soñando.
   –¿Cómo dices?
   ....

c. Habrían hablado demasiado.
   –¿Puedes hablar más alto?
   ....

d. Serían las cuatro.
   –¿Qué hora dices que sería?
   ....

e. Se aburrirían.
   –¿Qué dices?
   ....

6 Hablas por teléfono con tu hermano Pablo y después le cuentas la conversación a tu madre. (*Dice que...*):

Tu hermano: Estudio mucho y casi no salgo porque estamos en época de exámenes. Como me faltaban muchos apuntes, anoche fui a casa de un amigo a pedírselos. Ya los he fotocopiado. Me habré leído sólo unos 5 temas. Así que no podré ir a casa este fin de semana. Lo siento.

Tú a tu madre: Pablo dice que ....
....
....
....

7 Ahora cuenta lo mismo en pasado. (*Dijo que...*):

Tú a tu madre: Pablo dijo que ....
....
....
....

8 Contesta a las preguntas:

a. *El dentista:* Tiene usted una muela picada.
   –¿Qué te *ha dicho* el dentista?
   ....

b. *El profesor:* Daré las notas la semana que viene.
   –¿Qué *dice* el profesor?
   ....

c. *La modista:* El vestido estará terminado para el jueves.
   –¿Qué te *ha dicho* la modista?
   ....

d. *En el banco:* No podemos concederle el préstamo.
   –¿Qué te *dijeron* en el banco?
   ....

e. *En la zapatería:* Del modelo del escaparate no queda ningún 38.
   –¿Qué te han *dicho* en la zapatería?

   ....

9 **Señala la respuesta correcta.:**

a. "Déjame tranquilo".
   –Dice que le ☐ *dejaré* tranquilo.
   ☐ *dejaba*
   ☐ *deje*

d. "Me encanta esa música".
   –Dice que le ☐ *encantó* esa música.
   ☐ *encante*
   ☐ *encanta*

b. "No pienso ir a esa fiesta".
   –Dijo que no ☐ *pensaría* ir a esa fiesta.
   ☐ *pensaba*
   ☐ *pensó*

e. "Somos unos 20".
   –Ha dicho que ☐ *serían* unos 20.
   ☐ *son*
   ☐ *eran*

c. "No comas más chocolate, por favor".
   –Ha dicho que no ☐ *comas* más chocolate.
   ☐ *comes*
   ☐ *comerás*

10 **¿Qué dijeron?:**

> Ej.: a. Andrés dice que piensa ir a un gimnasio.
> – ¡Eso ya lo dijo el año pasado!
> a. El año pasado, Andrés *dijo que pensaba ir a un gimnasio.*

b. Ana dice que escribirá a menudo.
   –¡Eso ya lo dijo hace 4 meses!
b. Hace 4 meses, Ana dijo que ....

c. Enrique dice que tiene problemas de dinero.
   –¡Eso ya lo dijo justo antes de comprarse el coche!
c. Justo antes de comprarse el coche, Enrique dijo que ....

d. Paco dice que le habrán suspendido.
   –¡Eso ya lo dijo en el último examen!
d. En el último examen, Paco dijo que ....

e. Milagros dice que fue a Roma el verano pasado.
   –¡Eso ya lo dijo el otro día!
e. El otro día, Milagros dijo que ....

7 Expresar causa, consecuencia e hipótesis

1 Une las frases expresando la causa:

> Ej.: El director me llama. Quiere decirme algo. ➡
> El director me llama *porque* quiere decirme algo.

a. Los niños se han quedado durmiendo. Estaban muy cansados.

....

b. Hoy no puede dar clase. Está afónica.

....

c. Fernando, coge el impermeable. Han dicho que va a llover.

....

d. Tiene que quedarse en casa. Va a venir el fontanero.

....

e. No vas al trabajo. No te encuentras bien.

....

2 Pregunta la causa de las frases anteriores:

> Ej.: *¿Por qué* te llama el director?

a. ....
b. ....
c. ....
d. ....
e. ....

3 Señala la respuesta correcta:

a. Hay tanto ruido ☐ *por eso* están de fiesta.
                               ☐ *porque*

b. ☐ *Como* es tan caro, no lo compramos.
     ☐ *Por*

c. ☐ *Que* no te gusta estudiar, tendrás que buscar trabajo.
     ☐ *Puesto que*

d. Lo he hecho ☐ *a causa de* ti.
                   ☐ *por*

e. Me alegro ☐ *de que* estés bien.
             ☐ *porque*

4 Completa las frases eligiendo entre las expresiones dadas:

Tanto que	De ahí que	Que	De un modo que	Por eso

a. Estará enfadado, ... no querrá vernos.

b. Ronca .... no me ha dejado dormir en toda la noche.

c. Conduce .... nadie quiere montarse con él.

d. Le ha dicho que estamos ocupados, ... se haya ido ya.

e. No tardes mucho, ... nos esperan a las siete.

5 Expresa lo mismo de 5 formas diferentes:

"*Quizás* tenga suerte y apruebe."

a. ....

b. ....

c. ....

d. ....

e. ....

6 Transforma según el modelo:

> Ej.: Debía de ser muy tarde. ➡ *Sería* muy tarde.

a. Debían estar durmiendo.

....

b. Tenía que estar cansado.

....

c. Debió de imaginarse que no estábamos.

....

d. Tenían que ser muy caros.

....

e. Tenía que quedarse en un hotel.

....

7 Enlaza las frases con la idea que expresen:

a. Me parece que esa película no tendrá éxito.   1. *Suposición.*

b. Pongamos que vengan sin avisar.   2. *Rumor.*

c. Te quedarías extrañado.   3. *Probabilidad.*

d. ¡Ojalá queden habitaciones!   4. *Impresión.*

e. Por lo visto hay huelga de trenes.   5. *Deseo.*

8 Transforma estas condiciones realizables en condiciones realizadas:

a. Si quiere, encontrará tiempo para hacerlo.

....

b. Si no me obedece, le castigaré.

....

c. Si me da tiempo, iré de compras.

....

d. Si el tiempo no lo impide, iremos al campo los fines de semana.

....

e. Si llama, le diré que no estoy.

....

9 **Asocia las expresiones sinónimas:**

a. Al parecer.
b. Puesto que.
c. A base de.
d. Así es que.
e. Digo yo que.

1. *A fuerza de.*
2. *Me figuro que.*
3. *Parece ser que.*
4. *Por lo tanto.*
5. *Como.*

10 **Subraya la expresión correcta:**

a. Le han suspendido, *así es que / porque* estará de muy mal humor.
b. Es tan increíble *como / que* me parece estar soñando.
c. *Creo que / Es posible que* no voy a aceptar ese puesto de trabajo.
d. *Si / Con tal de que* le llevas algo, se pondrá contentísima.
e. ¡*Ojalá / A ver si* vea a Encarna!

8 Situar en el tiempo

1 Haz frases precisando la duración o el momento de la acción:

a. 9-1.30: las tiendas están abiertas.

....

b. 2 de la tarde: cierra la oficina.

....

c. 5-7: clase de piano.

....

d. Un mes: duración del cursillo.

....

e. 1° de octubre: comienzo del curso.

....

2 Formula las preguntas correspondientes a las frases del ejercicio 1:

a. ....

b. ....

c. ....

d. ....

e. ....

3 Enlaza las preguntas con las respuestas:

a. En abril.   1. *¿Durante cuánto tiempo?*
b. Desde anoche.   2. *¿Para cuándo?*
c. Durante 1 semana.   3. *¿Cuándo?*
d. Hasta las 10.   4. *¿Desde cuándo?*
e. Para el 5 de diciembre.   5. *¿Hasta cuándo?*

4 Completa con diferentes expresiones que sitúen la acción en el presente:

a. .... no trabajo.

b. Te lo traigo ....

c. .... no puedo ir, espera un poco.

d. ¿Vas a salir .... ?

e. No, ... no.

5 Corrige los errores:

a. Estamos a invierno.   a. ....
b. Hoy es a 30 de mayo.   b. ....
c. Somos a finales de mes.   c. ....
d. Hoy es el domingo 10.   d. ....
e. Estamos a enero.   e. ....

6 Transforma según el modelo:

> Ej.: Faltan 4 días para que esté de vacaciones. ➡ *Dentro de* 4 días estaré de vacaciones.

a. Faltan 5 minutos para que empiece el Año Nuevo.

....

b. Falta 1 hora para que salgamos del Instituto.

....

c. Faltan 3 días para que sea mi cumpleaños.

....

d. Faltan 4 meses para que nazca mi segundo hijo.

....

e. Falta 1 semana para que llegue Manolo.

....

7 Elige entre las expresiones dadas para completar las frases:

Desde	Desde que	Desde hace	Hace

a. .... un mes que se fue.
b. Está mucho mejor .... cambió de trabajo.
c. Viven aquí .... primeros de mes.
d. Todavía no .... ni quince días que estamos aquí.
e. Lo tenemos .... tres semanas.

8 Contesta a las preguntas situando las acciones en un pasado reciente y utilizando las distintas expresiones que conozcas:

> Ej.: ¿Cuándo te has comprado ese libro? ➡ Me lo compré *el año pasado*.

a. ¿Desde cuándo lo sabes?

....

b. ¿Cuándo vino Juan?

....

c. ¿Cuánto tiempo hace que se ha ido?

....

d. ¿Cuándo fuiste al cine por última vez?

....

e. ¿Cuándo te han arreglado el coche?

....

9 Di con qué frecuencia:

a. Ves la tele.   a. ....
b. Vas al campo.   b. ....
c. Lees un libro.   c. ....
d. Haces deporte.   d. ....
e. Compras discos.   e. ....

10 **Señala la respuesta correcta:**

a. Se fue ☐ *desde que* tuvo el coche arreglado.
    ☐ *luego*
    ☐ *en cuanto*

b. ☐ *Antes de* entrar, dejen salir.
    ☐ *Antes de que*
    ☐ *Antes que*

c. Llegamos los dos ☐ *mientras*.
    ☐ *al mismo tiempo*
    ☐ *conforme*

d. Primero ordena tus cosas y ☐ *tras* te lo contaré.
    ☐ *luego*
    ☐ *apenas*

e. Está más alegre ☐ *desde* vivimos aquí.
    ☐ *a partir de*
    ☐ *desde que*

9 Localización en el espacio

1 Formula las preguntas adecuadas a las respuestas:

a. ....
   La radio está en el cuarto de baño.

b. ....
   No, el coche de Antonio está detrás del nuestro.

c. ....
   Sí, el Instituto está bastante lejos de casa.

d. ....
   No, las revistas las he puesto abajo.

e. ....
   No, me gustaría más vivir en el centro de la ciudad.

2 Di lo contrario:

> Ej.: La suerte está muy *cerca* de ellos. ➡ La suerte está muy *lejos* de ellos.

a. Pasa por delante de ellos.
   ....

b. Los niños están fuera.
   ....

c. ¿Has mirado encima de la mesa?
   ....

d. El Ayuntamiento está a la derecha del museo.
   ....

e. Viven muy lejos de aquí.
   ....

3 Subraya la expresión que no corresponda a la serie:

a. Cerca, por aquí, junto a, en algún sitio, cercano.
b. Ante, antes, hacia, delante, adelante.
c. Aparte, en alguna parte, en cualquier parte, por ahí, por todas partes.
d. Después, atrás, detrás, tras, alrededor.
e. Arriba, desde, encima, sobre, en el norte.

4 Indica lo que expresan las series del ejercicio 3:

a. ....   d. ....
b. ....   e. ....
c. ....

5 Enlaza los contrarios:

a. Encima.	1. *Bajo.*
b. Sobre.	2. *Atrás.*
c. Arriba.	3. *Adentro.*
d. Adelante.	4. *Abajo.*
e. Afuera.	5. *Debajo.*

6 Completa las respuestas utilizando el adverbio adecuado, *aquí / ahí / allí*:

a. ¿Vives ahí? No, vivo un poco más lejos. Vivo _____ .
b. ¿Y mis llaves? Si las tenía _____ , en el bolsillo, hace un momento.
c. No tengo fuerzas para ir hasta _____ andando, está muy lejos.
d. ¡Venga, ánimo! Ya estamos cerca, está _____ mismo.
e. ¿Qué hacéis vosotros _____ ? ¿Quién os ha dado mi dirección?

7 Coge un mapa de España y sitúa las siguientes capitales con relación a España:

> Ej.: Madrid está *en el centro de* España.

a. Málaga está ....
b. Badajoz está ....
c. Bilbao está ....
d. Valencia está ....
e. Toledo está ....

8 Contesta a las siguientes preguntas, según el modelo:

> Ej.: ¿Está Zaragoza *al oeste* de España?
> No, Zaragoza *no está al oeste, sino al este.*

a. ¿Está Cádiz al norte de España?
....
b. ¿Está Santander al este de España?
....
c. ¿Está Mallorca dentro de la Península Ibérica?
....
d. ¿Está Barcelona cerca de La Coruña?
....
e. ¿Está Murcia al suroeste de España?
....

9 Busca en el mapa:

a. Una ciudad española que esté fuera de la península.
....
b. Una ciudad importante que esté cerca de Madrid.
....
c. Una ciudad importante que esté al sur de Valencia.
....
d. Una gran ciudad que esté lejísimos de Granada.
....
e. Una ciudad importante que esté al este de Salamanca.
....

10 Completa con la preposición adecuada:

a. ¿Te gusta montar .... bicicleta?
b. ¿O prefieres montar .... caballo?
c. ¿Cómo te gusta más viajar, ... barco o .... avión?
d. ¿Vas al trabajo o a clase .... pie?
e. ¿Qué prefieres: pasearte .... la ciudad o .... el campo?

10 Expresión de la cantidad

1 Contesta negativamente a las preguntas, utilizando una expresión de cantidad contraria a la dada:

a. ¿Había mucha gente ?
b. ¿Se lo has dicho todo?
c. ¿Son más que la última vez?
d. ¿Tienes alguna foto del viaje?
e. ¿Ha entrado alguien?

a. ....
b. ....
c. ....
d. ....
e. ....

2 Formula la pregunta adecuada a la respuesta:

a. ....
b. ....
c. ....
d. ....
e. ....

a. He tardado media hora en llegar.
b. Son unos veinte.
c. No he estado ninguna vez allí.
d. No me he quedado con ningún disco.
e. Íbamos a 100 kilómetros por hora.

3 Compara las siguientes cantidades:

> Ej.: Te has gastado ya todo el sueldo. Yo también. ➡ Te has gastado ya *tanto como* yo.

a. Ayer estaba ese pescado a 1.000 pts. Hoy ya está a 1.500.
   Ayer valía .... hoy.

b. Este año tengo 30 alumnos. El año pasado tenía 25.
   Este año tengo .... el año pasado.

c. Debes 30.000 pts. Yo debo sólo 10.000.
   Tú debes .... yo.

d. Ese barrio es muy caro. Aquél también.
   Ese barrio es .... aquél.

e. Hoy llegas con 10 minutos de retraso. La última vez llegaste con un cuarto de hora.
   Hoy has llegado con cinco minutos .... la última vez.

4 Encuentra expresiones que indiquen la misma cantidad que las señaladas:

a. Me quedan *algunos* duros.
   ....

b. No puedo ponérmelo así: está *muy* arrugado.
   ....

c. *Sólo* vinieron cuatro personas.
   ....

d. En esta baraja hay cartas *de más*.
   ....

e. Dígame *todo lo que* sepa.
   ....

5 **Imagina lo que te preguntarían en las siguientes ocasiones:**

a. **En el mercado**.
   Tú: Quisiera unas naranjas, por favor.
   El vendedor: ....
b. **Por teléfono**.
   Tú: Quisiera reservar una mesa para el sábado por la noche.
   El camarero: ....
c. **Hablando con un compañero de trabajo**.
   Tú: Siempre vengo al trabajo en metro, tardo menos que en coche.
   Tu compañero: ....
d. **Con tu madre**.
   Tú: Valía bastante caro, pero me hacía falta.
   Tu madre: ....
e. **A tu novio**.
   Tú: Pienso invitar a mucha gente a la fiesta.
   Tu novio: ....

6 **Y tú, ¿cómo lo dirías?:**

a. Dudas entre irte este fin de semana a Toledo o no. Depende de lo que cueste el viaje.
   Pregúntalo.
   ....
b. Ignoras los kilómetros que hay de Madrid a Toledo. **Pregúntalo.**
   ....
c. ¿Sabes lo que dura el viaje?, ¿no? Pues **pregúntalo** también.
   ....
d. Te gustaría irte por la tarde. **Pregunta** si hay autobuses por la tarde.
   ....
e. Al final, te decides y te sacas el billete. Te enteras de que tienes descuento por ser
   estudiante. Antes de pagar, **entérate bien de lo que debes.**
   ....

7 **Transforma según el modelo:**

> Ej.: ¡Hay tan pocas diversiones aquí...! ➡ *¡Qué poquísimas* diversiones hay aquí!

a. ¡Tiene tan poco entusiasmo ...!   a. ....
b. ¡Entra tan poca gente ...!   b. ....
c. ¡Comen tan poco ...!   c. ....
d. ¡Estudian tan pocos alumnos ...!   d. ....
e. ¡Falta tan poco tiempo ...!   e. ....

8 **Completa las frases con *nada / nada de*:**

a. No me dijo .... eso.
b. No, gracias. No necesito ....
c. No he encontrado .... lo que buscaba.
d. Lo que dices no tiene .... gracioso.
e. No se veía .... desde tan lejos.

9 **Enlaza los contrarios:**

a. Mayor.   1. *Nada.*
b. La mar de.   2. *Incluso.*
c. Ni una pizca.   3. *Menor.*
d. Alguno.   4. *Ninguno.*
e. Salvo.   5. *Mucho.*

10 **Corrige los errores:**

a. Son demasiados caros.   a. ....
b. ¿Quiere usted un algo más?   b. ....
c. No es tanto bueno como parece.   c. ....
d. Es más caro de que creía.   d. ....
e. Sólo quiero una media manzana.   e. ....